CARRIÈRES DE FEMMES

Margaret Hennig
Anne Jardim

CARRIÈRES DE FEMMES

*Traduit de l'américain
par Françoise Cartano*

Introduction
de
ANNE-MARIE VINCENSINI

Presses de la Renaissance
198, boulevard Saint-Germain
75007 PARIS

Collection **Questions de Femmes**

Titre original : *The managerial woman.*

ISBN 2-85616-119-7

Introduction
par
ANNE-MARIE VINCENSINI

« Madame Cadre »

1. Le constat français

Proportionnellement deux fois moins nombreuses que les hommes cadres, les femmes accèdent de plus en plus à cette fonction, même si force est de constater la lenteur de cette évolution. Aujourd'hui, on recense en France 1 281 365 femmes cadres moyens et 299 626 cadres supérieurs, soit 1 580 991 femmes cadres [1]. Ce chiffre brut peut paraître élevé, mais il cache une réalité nuancée et beaucoup moins optimiste pour les femmes.

Qu'est-ce qu'une femme cadre ? Il n'existe pas de définition absolue et la situation des femmes à qui cette qualification est accordée est bien différente de celle des hommes cadres. Cette différence s'exprime sur le plan des diplômes qu'elles détiennent, des fonctions qu'elles remplissent, de leur rémunération et de leur carrière. Tel est le constat français.

Sans diplôme point de salut

Les femmes cadres détiennent davantage de diplômes que les hommes : 58 p. 100 d'entre elles possèdent un diplôme de l'enseignement supérieur contre 51 p. 100

---

1. Enquête sur la structure des emplois du ministère du Travail.

des cadres masculins. Mais cette supériorité n'est que relative et s'explique tout simplement par le fait que 2/3 des femmes (contre 1/5 des hommes) sont professeurs ou appartiennent à des professions littéraires ou scientifiques, catégories de cadres les plus diplômées. Cette situation, si elle modifie la moyenne globale en faveur des femmes, cache, en fait, une vérité différente, qui surgit dès que l'on compare les diplômes selon les fonctions : les hommes sont aussi diplômés que les femmes et même nettement plus diplômés lorsqu'ils appartiennent à la catégorie des cadres administratifs supérieurs ou des professions libérales.

Pourtant, à travers les diverses études concernant les cadres féminins, on constate que sans diplôme, il n'y a point de salut pour les femmes cadres. Si le bac suffit aux hommes pour devenir cadres, les femmes ont intérêt, pour accéder à des postes identiques, à poursuivre leurs études. L'exemple des organismes de Sécurité sociale parisiens repris dans l'étude du Comité du Travail féminin (1978) est intéressant : « Aucune femme diplômée d'un certificat d'études primaires ou d'un brevet élémentaire primaire commercial n'est parvenue à un poste de cadre après 15 années d'ancienneté, alors que ce fut le cas pour 12,5 p. 100 des hommes diplômés du certificat d'études primaires et de 50 p. 100 de ceux diplômés du brevet élémentaire primaire commercial. Le taux de cadres parmi les bacheliers est d'une salariée sur quatre. Il est d'un sur deux pour les hommes. »

La licence ouvre parfois aux femmes l'accès à la catégorie des cadres supérieurs mais même avec un D.E.S., une maîtrise ou plusieurs licences elles sont plus souvent cadres moyens ou enseignantes. Mais le diplôme si nécessaire n'est pas suffisant. En effet, on ne retrouve pas vraiment aux postes d'ingénieurs ou de cadres administratifs supérieurs les jeunes filles qui sortent des grandes écoles, par contre on y retrouve les garçons. Parce que, à l'exception de celles qui ont reçu certaines formations particulières, très spécialisées (comme un doctorat ou un diplôme de médecine, pharmacie, chirurgie dentaire, etc.), les femmes occupent les fonctions correspondant à leurs diplômes moins souvent que les hommes. Alors, exclues des postes de décision, même au niveau le plus élevé des diplômes, les femmes se dirigent vers l'enseignement.

Des cadres fonctionnels

Près de 600 000 femmes cadres doivent à l'enseignement d'appartenir à cette catégorie socio-professionnelle mais on ne compte pas plus de 100 000 cadres féminins dans le secteur privé en France. Et bien que la proportion des femmes cadres soit en augmentation depuis ces dernières années (les femmes cadres moyens sont aujourd'hui presque aussi nombreuses que les hommes cadres moyens), la disparité demeure très grande en ce qui concerne les cadres supérieurs dont elles représentent 22 p. 100 de l'effectif seulement. Apparemment, on ne prête qu'aux hommes en matière de décision et de responsabilité, et les femmes cadres sont plus souvent engagées pour leurs compétences particulières plutôt que pour exercer un quelconque pouvoir dans une hiérarchie.

84,2 p. 100 des cadres féminins se répartissent selon quatre catégories [1] qui sont par ordre d'importance : 1. Les institutrices ou les membres de professions intellectuelles diverses ; 2. Les cadres administratifs moyens ; 3. Les cadres des services médicaux et sociaux ; 4. Les professeurs et membres des professions littéraires. Celles qui appartiennent à l'enseignement ou à la recherche occupent des postes de fonction. Si les femmes cadres des services médicaux et sociaux (assistantes sociales, infirmières, rééducatrices, sages-femmes, assistantes en radiologie, etc.) exercent une responsabilité, elles n'ont pour autant qu'un pouvoir d'encadrement limité. Quant aux femmes cadres administratifs, elles sont pour un

---

1. Recensement de 1975.

tiers secrétaires de direction et occupent donc un poste de second. Elle sont rares parmi les directeurs généraux ou financiers.

Par ailleurs, on ne trouve pratiquement pas de femmes cadres aux postes de responsabilité technique dans l'industrie — la moitié des femmes ingénieurs travaillent dans des centres de documentation ou de recherche —, ni dans l'agriculture ou l'artisanat, et on en compte très peu, malgré une récente évolution, dans le commerce. Sauf quelques exceptions, les cadres féminins sont presque exclusivement des cadres fonctionnels. Et si on peut constater aujourd'hui une progression du nombre de femmes parmi les cadres, il faut regretter que cette féminisation s'explique avant tout par la création de postes aux fonctions précises réservées aux femmes alors que les postes d'encadrement leur sont presque toujours refusés.

Combien gagnent les femmes cadres ?

Cette inégalité, qui apparaît entre les postes des cadres féminins et les pouvoirs des cadres masculins, a bien sûr une incidence sur les rémunérations.

Combien gagnent les femmes cadres ? Il semblerait que la crise économique ait eu des répercussions plus fortes sur les salaires des femmes que sur ceux des hommes et on constate une concentration des salaires des cadres féminins dans les tranches basses. Selon les statistiques de la Caisse de retraite complémentaire des cadres, beaucoup de femmes cadres n'atteignent pas le plafond à partir duquel on cotise à la retraite des cadres, soit 4 000 F. En 1978, en effet, plus des 2/3 gagnent moins de 8 000 F. On en compte moins de 20 p. 100 (contre 1/3 des hommes cadres) qui perçoivent entre 8 000 et 12 000 F.

Dans l'ensemble, les femmes bénéficient moins que les hommes d'avantages en nature et d'indemnités, ce qui accroît les inégalités. Aujourd'hui, le salaire médian de

« Madame Cadre » est égal à 73 p. 100 du salaire médian de « Monsieur Cadre ». Mais le salaire moyen annuel des femmes cadres est nettement inférieur à celui des hommes. Pour les cadres moyens, il est égal à 68 p. 100 de celui des hommes. Pour les cadres supérieurs, il n'atteint que 63 p. 100 de celui des hommes.

Les écarts de salaire augmentent avec le niveau de qualification. Et une femme cadre administratif supérieur, par exemple, perçoit un salaire (4 300 F) plus proche de celui du cadre administratif moyen (3 600 F) que de celui de son homologue masculin (cadre administratif supérieur : 6 700 F). De plus, cette disparité s'accentue suivant la région où on travaille. On constate en effet une plus grande inégalité entre les salaires des femmes et des hommes cadres supérieurs qui exercent en province, à l'exception du secteur des assurances où, au contraire, la différence de salaire est plus importante à Paris[1].

Le fossé se creuse encore un peu plus avec l'âge. L'écart entre les salaires masculins et féminins aux postes de décision atteint 12 p. 100 à 40 ans et 100 p. 100 en fin de carrière[2].

Une carrière au féminin

Les femmes aujourd'hui, et peut-être en particulier les femmes cadres, manifestent autant d'ambition que les hommes quand elles parlent de l'évolution de leur carrière. Mais celles qui « réussissent » selon les critères traditionnellement masculins font figure d'exception. Peu de femmes atteignent les sommets de la hiérarchie. Dans la fonction publique par exemple[3], elles représentent 50 p. 100 des agents, mais seulement 12,4 p. 100 des

1. *Economie et Statistiques,* mars 1976.
2. Secrétariat d'Etat à la Condition féminine, 1975.
3. Etude du Comité du Travail féminin.

fonctionnaires de la catégorie A (la plus élevée dans la hiérarchie).

Quant aux postes comportant un pouvoir réel, à la limite du pouvoir politique, ils leur sont toujours fermés. On retrouve cette discrimination dans tous les secteurs professionnels. Et si deux hommes cadres moyens sur cinq deviennent cadres supérieurs, seulement 6 p. 100 des femmes cadres moyens obtiennent un tel avancement.

La promotion interne semble pour les femmes cadres être le meilleur moyen de se hisser dans la hiérarchie. Pour pouvoir en bénéficier, elles complètent plus que les hommes leur formation au cours de leur vie professionnelle. Mais en règle générale, leur carrière, souvent ralentie par des interruptions d'ordre familial, et freinée par la misogynie, évolue lentement.

Les femmes cadres progressent nettement moins rapidement que les hommes et, dans une logique parfaite, cette inégalité de chance les poursuit jusqu'à la retraite. On aboutit alors au paradoxe suivant [1]: Une femme cadre perçoit une retraite moins élevée que celle de la veuve d'un cadre: les veuves bénéficiaires d'une pension de reversion ont en moyenne une retraite supérieure de 41 p. 100 à la pension acquise par cotisation par une femme cadre ayant travaillé.

2. L'inégalité des chances

Pourquoi la situation des femmes cadres est-elle si différente de celle des hommes ?

La moitié d'entre elles attribuent leurs difficultés à la misogynie. Elles ont sans doute raison. Les reproches qui sont faits aux femmes par les employeurs sont très

---

1. I.N.S.E.E., septembre 1975.

nombreux. Et même si ces griefs ne sont pas toujours fondés, ils ne cessent de créer des obstacles au niveau du recrutement des femmes cadres et de l'exercice de leurs fonctions.

Des griefs misogynes

Que reproche-t-on aux femmes cadres ?

Le principal grief que les employeurs mettent en avant est celui de l'absentéisme. Les statistiques concernant les femmes salariées — qui additionnent sans distinction congés de maladie et de maternité — abondent dans leur sens. Mais il est prouvé que l'absentéisme est inversement proportionnel à l'intérêt du travail. Et d'autres statistiques démontrent que les femmes cadres s'absentent deux fois moins que les O.S.

Autre préjugé, les patrons prétendent que les femmes interrompent leur carrière à cause des enfants. Or il est de plus en plus fréquent que les femmes continuent de travailler même après une deuxième naissance.

Les jeunes sont à ce sujet très déterminées. Telle cette femme de 28 ans, cadre supérieur, qui a déjà organisé la garde de l'enfant qu'elle porte encore. « En aucun cas je ne m'arrêterai de travailler, dit-elle, dès les premiers mois je confierai mon enfant à la crèche... »

Quant au manque de disponibilité des femmes — on leur reproche d'être moins mobiles que les hommes —, il s'explique facilement. Si un homme doit se décentraliser au cours de sa carrière, son épouse le suit et (si elle est salariée) démissionne de son travail, mais la situation inverse n'est pas fréquente. Tout simplement parce qu'on ne veut pas compromettre l'avenir professionnel du conjoint qui gagne le mieux sa vie et qui détient le plus de chances de réussite. Si les femmes cadres avaient des carrières identiques à celles des hommes, la réalité serait sans doute différente.

Autre grief des employeurs : les femmes ne sont pas compétentes, elles ne possèdent pas la qualification qui

19

convient. Il est vrai que la majorité des jeunes filles se dirigent vers des études littéraires plutôt que scientifiques. Mais, nous l'avons constaté, celles qui possèdent les qualifications requises ne sont ni plus reconnues ni mieux admises aux postes de cadres. Pourquoi ?...

« Elles manquent d'agressivité et de combativité (encore un reproche). Elles n'en veulent pas assez et d'ailleurs ne peuvent pas accorder suffisamment d'impordance à leur carrière » (à cause des contraintes familiales)... Des opinions identiques ont valu à une jeune femme cadre de manquer une chance de devenir patron d'un cabinet de gérance immobilière. « Si vous aviez été un homme, je vous aurais proposé de racheter le service... » Elle était une femme. Déjà victimes de l'éducation traditionnelle — des garçons forts, gagneurs et des petites filles douces —, les femmes doivent accepter la conception traditionnellement masculine de l'entreprise et ses rapports de force. Sinon, aucune confiance ne leur sera accordée. Et pour parvenir au même seuil de crédibilité que les hommes, les femmes doivent être meilleures et faire leurs preuves.

Toutes ces objections incitent à penser que l'image de la femme ne correspond pas à celle du cadre idéal aux yeux des employeurs, comme le confirme une enquête menée auprès des industriels par l'école supérieure des Sciences commerciales d'Angers. Ceux-ci reconnaissent aux femmes «la minutie et la dureté en affaires», qualités les moins demandées pour des emplois de cadres. Mais ils ne leur prêtent pas « la disponibilité, l'esprit de synthèse, de décision et d'initiative, ni la facilité d'intégration, qualités primordiales pour un cadre ». Dans l'ensemble, les employeurs n'imaginent pas la femme cadre ailleurs qu'à un poste de second.

Cette misogynie se fonde heureusement sur une image traditionnelle de la femme, qui tend à disparaître.

Peu d'offres d'emplois

Les jeunes filles qui se destinent à une carrière de cadre

n'ont pas choisi la voie la plus facile pour s'insérer dans la vie professionnelle.

Ce secteur n'offre de réels débouchés que dans l'enseignement et la fonction publique. Seul 1/5 des jeunes filles trouve un emploi de cadre dans le secteur privé. Avant même de se mettre en quête d'un poste, les femmes doivent savoir qu'il est préférable pour l'obtenir de demeurer à Paris, de renoncer aux fonctions opérationnelles et commerciales (même si leurs diplômes les y ont préparées), de se contenter des postes administratifs rejetés par les hommes.

Peu recherchées directement par les entreprises, comme tout demandeur d'emploi, elles parcourent les petites annonces. Peine perdue, dans la majorité des cas leurs réponses sont rejetées à priori au profit de celles des garçons. Et celles dont le curriculum vitae a retenu l'attention d'un employeur ne doivent pas se réjouir trop vite... Si elles se trouvent pour un poste en compétition avec un homme, elles devront détenir un niveau de diplômes plus élevé pour l'emporter. Cette situation ne fait que s'accentuer en période de récession économique.

Restent les emplois dont les hommes ne veulent pas. Une des cadres supérieurs d'un cabinet de promotion immobilière, titulaire d'un D.E.S. de droit, a bénéficié de ce type de situation : « Ils recherchaient un homme, dit-elle, et ne trouvaient personne... Ils n'avaient pas pensé qu'une femme puisse convenir à ce poste car il comportait des visites sur les chantiers. » Elle s'en sort très bien et gagne 5 000 F mensuels.

Mais le plus souvent, pour trouver du travail, les futurs cadres doivent avoir recours à leurs relations ou au bureau de placement des anciens élèves de leur école. 32 p. 100 des femmes cadres ont ainsi obtenu un emploi, alors que seulement 18 p. 100 de l'ensemble des cadres sont placés par cette filière [1].

---

1. Source : Ecole polytechnique féminine.

Les discriminations d'ordre psychologique continuent de s'exercer après l'embauche.

Une célibataire, cadre stagiaire dans une importante compagnie d'assurances, raconte comment, lorsqu'elle a commencé à travailler, on l'a interrogée sur ses intentions de se marier en lui précisant bien que ce serait très ennuyeux... Alors qu'on encourageait au mariage ses collègues masculins « parce que ça stabilise un homme » ! ! !

Une autre jeune femme mariée affirme qu'en la nommant cadre, son employeur lui a dit : « Vous devenez chef de service, vous devez vous abstenir d'avoir des enfants dans l'immédiat... »

Pour réussir, les femmes doivent savoir se plier à un certain nombre de contraintes mais à peine la moitié d'entre elles exercent des responsabilités réelles dans l'entreprise. Embauchées pour y remplir des fonctions précises (16 p. 100 seulement reçoivent une affectation provisoire), elles ne bénéficient pas, contrairement aux hommes, de période de rodage qui leur permettrait de mieux connaître l'entreprise, de mieux s'y adapter et peut-être même d'exercer leur sens des responsabilités.

3. Le cœur et la raison des femmes cadres

Beaucoup de femmes attribuent leurs difficultés et leur condition de cadres à la misogynie. Les employeurs, eux, expliquent les différences entre cadres masculins et féminins par les responsabilités familiales qu'elles doivent assumer.

Mais l'examen de leur formation et l'analyse de leurs motivations et de leur comportement révèlent d'autres causes.

La formation des jeunes filles

Si les employeurs reprochent aux femmes de n'être pas qualifiées, ce n'est pas sans raison.

Les filles ne sont pas moins douées que les garçons. Elles réussissent plutôt mieux qu'eux dans les études secondaires et obtiennent la licence à un âge plus précoce. Leur handicap vient de leur orientation.

Par tradition et sans doute parce qu'elles n'envisagent pas vraiment leurs études comme une formation professionnelle (l'intérêt intellectuel prime sur la nécessité économique plus lointaine), quand les jeunes filles font des études supérieures, elles se dirigent vers les universités plutôt que vers les I.U.T. ou les grandes écoles qui leur sont ouvertes depuis peu. A l'université, plus de la moitié des étudiantes continuent de se cantonner dans les sections littéraires aux dépens des sciences économiques, du droit et des études scientifiques. On note cependant une évolution : leur proportion a augmenté dans les grandes écoles d'ingénieurs, mais elle reste faible (8,7 p. 100).

Qualifiées, mais « mal qualifiées », les femmes voient leur chance de réussite limitée dans le secteur privé. Les garçons trouvent plus facilement un emploi après la délivrance d'une licence : 4 ans après, 93,8 p. 100 sont salariés contre 83 p. 100 des filles [1]. Cette inégalité, nous l'avons vu, ne fera que croître.

Les motivations des femmes cadres

Les femmes cadres ne travaillent pas (ou rarement) par nécessité économique. Si elles trouvent quelques satisfactions à améliorer leur niveau de vie, elles tiennent surtout à s'assurer la sécurité en cas de divorce ou de veuvage. Elles veulent aussi parfois acquérir ou préserver une certaine indépendance à l'égard de leur famille ou de leur

---

1. Institut d'Etudes et de l'Emploi, Jean Vincens, octobre 1976.

mari. « Je ne me serais pas mariée si je n'avais pas travaillé, dit l'une d'elles. Je ne veux pas dépendre financièrement de mon mari... »

A cette motivation économique, il faut adjoindre des raisons d'ordre intellectuel. Beaucoup de femmes exercent leur fonction pour l'intérêt que représente leur travail et aussi parce qu'il leur permet d'utiliser et d'améliorer les connaissances acquises pendant leurs études. Mais de toutes, les motivations psycho-sociologiques apparaissent comme étant les plus déterminantes dans la carrière des femmes cadres.

En travaillant, elles recherchent les contacts humains, mais aussi un statut social correspondant au stéréotype de la femme moderne. On rejette l'image de la mère femme au foyer. Les jeunes maris considèrent plutôt favorablement le fait que leur épouse travaille, et donnent priorité à son début de carrière sur un premier enfant.

Le travail apparaît enfin comme un facteur d'équilibre et d'épanouissement de la personnalité, et selon Evelyne Sullerot (*Histoire et sociologie du travail féminin*), c'est la motivation principale pour les femmes de milieu aisé (cadres ou professions libérales).

L'ambition et la notion de carrière ne sont pas encore vraiment familières aux femmes.

L'attitude des femmes cadres

Du comportement des femmes cadres face à la vie professionnelle de nouveaux handicaps surgissent.

Les jeunes filles cherchent un emploi un an et demi avant les garçons de leur âge, car elles ne poursuivent pas des études aussi longues : la proportion des femmes diminue avec la durée des études. Aussi leur reproche-t-on d'être trop jeunes pour occuper certains emplois. Souvent, les femmes préfèrent un emploi à mi-temps ou des horaires souples, conditions quasiment introuvables, surtout aux postes de responsabilité. Elles sont également sensibles à la proximité domicile-lieu de travail. Beaucoup d'entre elles, comme les autres femmes salariées, doivent assumer la totalité des charges ménagères parallèlement à leur vie professionnelle. Et dans cette catégorie sociale, une meilleure répartition des rôles, en particulier pour l'éducation des enfants, s'impose comme dans les autres secteurs de l'économie.

Toutes attachent une très grande importance à l'environnement humain. L'accueil qui leur est fait lors de leur premier contact avec l'entreprise est primordial. Pour 60 p. 100 de femmes, il est déterminant dans leur choix professionnel (cela est vrai pour 48 p. 100 des garçons seulement).

Plus exigeantes que les hommes pour leur cadre général de vie et plus attentives à satisfaire leur intérêt personnel, les femmes cadres actuellement paient le prix de ce qui, aujourd'hui, apparaît comme une sorte de luxe à leurs homologues masculins, mais dont ils disposeront peut-être bientôt, grâce à elles. N'est-il pas prouvé que tous les avantages acquis par les femmes dans le domaine professionnel (les horaires libres par exemple) profitent aux hommes ?

Les femmes cadres, surtout les plus jeunes, refusent d'avoir à choisir entre la réussite professionnelle et la réussite familiale. Elles veulent mener de front vie professionnelle et vie privée, et s'organisent en conséquence. Mais elles incriminent volontiers la société, qui n'est pas suffisamment organisée pour les seconder réellement dans l'éducation de leurs enfants : « Trop peu de crèches, des équipements collectifs réduits, des horaires inadaptés à ceux de la vie professionnelle. » Elles souhaitent une transformation des structures qui améliorera les conditions indispensables à l'exercice des responsabilités qu'elles réclament.

Souvent remises en question, les femmes cadres doivent fournir beaucoup d'efforts pour s'imposer. Et lassées par toutes les contraintes qui pèsent sur leur condition, elles deviennent parfois moins exigeantes quant à la reconnaissance de leur statut.

Conclusion

Les femmes peuvent-elles faire carrière ?

Oui, si elles acceptent d'en payer le prix. Ce qui veut dire posséder des diplômes supérieurs à ceux des hommes pour une carrière équivalente, préférer les postes d'encadrement à ceux qui leur sont traditionnellement destinés, vaincre la misogynie en prouvant leurs aptitudes, se conformer au profil de l'homme cadre ; et, en attendant un bouleversement de la société, modifier sensiblement leur comportement.

Certaines femmes cadres sont déjà parvenues au plus haut niveau de la hiérarchie, les jeunes ont pris le mors aux dents, l'évolution est amorcée.

Principales sources utilisées : *Rapport du Comité du Travail féminin* (janvier 1978), sur les femmes cadres. — Rapport du Centre national des Jeunes Cadres sur *L'insertion des femmes cadres dans l'entreprise.*

Note des auteurs

Ce livre est l'aboutissement de recherches entamées conjointement par ses auteurs en 1973. Partant des conclusions exposées par Margaret Hennig dans la thèse de doctorat qu'elle soutint en 1970 et dont le sujet était « La femme dans l'entreprise » (mais l'étude s'attachait surtout au bas et au milieu de la hiérarchie), nous avons élargi le champ de nos recherches pour y englober les femmes occupant des postes de cadres supérieurs. Nous nous sommes donc penchées sur leurs croyances et préjugés, la façon dont elles perçoivent les problèmes, leur comportement ; et aussi les hommes dans les mêmes fonctions, l'environnement et le contexte organisationnels, les débouchés réels ou potentiels, pour les hommes comme pour les femmes, en matière de réussite professionnelle.

Le livre comprend trois parties. Anne Jardim a rédigé la première et Margaret Hennig la troisième. La seconde est tirée de la thèse de doctorat de Margaret Hennig, remaniée par les auteurs en vue de la publication. Les questions théoriques soulevées et les reformulations présentées dans les chapitres 4 et 11 constituent le prolongement d'un travail effectué antérieurement par Anne Jardim sur les approches psychanalytiques du comportement directorial.

Les auteurs sont redevables, et dans des proportions plus importantes qu'à l'accoutumée, à de nombreuses

27

personnes qui leur ont permis de mener cette tâche à bien ; en particulier Patricia Kosinar et Catherine Campbell Bradley avec qui elles ont travaillé dès les premiers jours ; Bonnie Marett et Jeanne Deschamps Stanton ; Mary Ann Chase-Borden, Gretchen Gerzina, Jenny Bedlund et Jennie King. Plus ceux et celles occupant un poste de direction dans une entreprise et dont l'expérience et la perspicacité nous ont aidées à parvenir aux conclusions exposées dans ce texte.

A propos du sujet de ce livre

Nombreux seront les lecteurs qui entameront la lecture de ce livre en disant : « Oui, oui, très intéressant comme sujet, mais les choses ont tellement changé. A présent que la femme est l'égale de l'homme, pourquoi consacrer tout un livre à ce qui n'est même plus un problème ? Après tout, les mouvements féministes ont maintenant plusieurs années d'existence derrière eux. De plus, la loi garantit depuis un certain temps déjà l'égalité des femmes et des hommes face à l'emploi et veillent à ce que ce beau principe ne reste pas lettre morte. D'autre part, les femmes d'aujourd'hui sont certainement mieux armées que leurs aînées, et de loin, pour affronter les problèmes auxquels elles se heurtent. La loi leur garantit certainement la possibilité de réaliser au mieux leurs aspirations authentiques. »

Si l'on se contente de ce bref résumé de la situation présente, le véritable sujet de ce livre risque bien de ne pas être correctement perçu, car les choses ne sont pas si simples, et pour peu que l'on approfondisse un peu la question, il apparaît que les changements intervenus ne sont pas si importants qu'on veut bien le dire.

Certes, il est relativement certain que sous l'impulsion de la loi stipulant que soit respectée l'égalité des chances entre les hommes et les femmes en matière d'emploi, les grandes entreprises américaines publiques et privées se sont vues contraintes de prendre acte de l'existence des femmes tant dans les usines que dans les bureaux directoriaux. Dans le même temps, les mouvements féministes contribuaient à améliorer la prise de conscience chez les femmes elles-mêmes, qui s'intéressèrent donc de façon plus précise à leurs droits ainsi qu'aux conditions de travail qui leur étaient faites. Il existe d'ailleurs des preuves irréfutables qu'aujourd'hui les femmes occupent plus de postes de responsabilité qu'elles ne le faisaient il y a trente ans, et, pourtant, les statistiques les plus récentes montrent que si les femmes représentent 39 p. 100 de la population laborieuse, elles comptent pour moins de 5 p. 100 dans la catégorie des personnes exerçant leur activité comme administrateur, directeur ou chef d'entreprise et dont les revenus annuels dépassent 10 000 dollars. En d'autres termes, les hommes représentent 61 p. 100 de la force de travail du pays mais ils occupent 95 p. 100 des postes de la catégorie considérée, celle qui correspond à un salaire supérieur à 10 000 dollars par an. Si l'on grimpe encore dans l'échelle des revenus pour arriver à des gains annuels de 25 000 dollars et plus, la représentation des femmes tombe encore plus bas, 2,3 p. 100 contre 97,7 p. 100 pour les hommes. En valeur absolue et aux Etats-Unis, 11 000 femmes cadres supérieurs gagnent plus de 25 000 dollars par an pour 449 000 hommes (chiffres officiels du ministère du Travail (*U.S. Department of Labor*) publiés par le *Women Managers* de février 1972 et le *Women Workers Today* de juillet 1975). Si ces chiffres sont tout ce que l'on peut attendre du principe de l'égalité des chances, le moins que l'on puisse dire est que les résultats obtenus sont fort décevants. Comment expliquer une telle médiocrité ? La raison se trouve, au moins partiellement, dans la notion même de l'égalité des chances telle que l'entend la loi. En effet, cette fameuse loi stipule que les chances de chacune doivent être rigoureusement égales aux chances de chacun. Mais elle ne dit rien, et ne saurait d'ailleurs rien dire, car on ne peut légiférer à ce niveau, des dispositions à prendre pour que toutes profitent effectivement de cette belle égalité des chances. De plus, et cet aspect est sans doute déterminant, aucune loi ne peut garantir que des gens qui ont subi une longue tradition de mesures discriminatoires seront d'emblée et automatiquement capables de faire la démonstration de leur aptitude à tirer profit des éventuelles ouvertures qui leur seraient faites.

Dans le même temps, se crée une véritable réaction répulsive à l'égard de cet égalitarisme forcé. Elle est le fait de ceux-là mêmes dont les chances se trouvent inévitablement restreintes par l'arrivée de candidatures à la légitimité récente mais auxquelles il convient de faire une place. Tous ces gens qui se voient contraints de céder aux nouvelles venues une portion du territoire qui leur revenait de droit deviennent la proie de l'amertume, de la colère et du ressentiment. Tandis que la loi contrôle les structures formelles, la mise en œuvre de ces mesures bourrées de bonnes intentions ne peut intervenir qu'à travers les mécanismes obscurs des structures informelles. Or, dans l'industrie, ces structures souterraines sont justement le domaine pratiquement réservé des hommes, ceux dont on vient de rogner le territoire.

Dans la plupart des structures de travail existantes, le système informel qui régit les relations interhumaines trouve ses origines aussi bien que sa fonction actuelle dans la culture et l'expérience masculines. Les formes revêtues, les règles qui régissent les comportements, le mode de communication et le type de relations développées sont directement issues de l'expérience de l'homme et de son vécu. Et le problème n'est pas en l'occurrence de porter de jugement de valeur à ce niveau. Il s'agit seulement de données réelles. La plupart des structures de travail que nous connaissons ont été conçues et fondées par des hommes. Ceux-ci en ont fait des lieux où ils ont la possibilité de vivre tout en réalisant un certain travail, et l'environnement y est étudié pour leur être à la fois familier et confortable. Si le monde du travail est d'une façon générale largement dominé par une culture de type masculin, force nous est de remarquer qu'au niveau de la direction, surtout si l'on considère les ultimes échelons de la hiérarchie, le système informel devient à proprement parler un bastion du mode de vie conjugué au masculin.

Que l'on veuille bien songer aux hommes qui appartiennent à ces structures plus ou moins obscures en termes d'initiés au système, c'est-à-dire de personnes qui se comprennent et se soutiennent mutuellement, comme elles comprennent et soutiennent le système et ses règles ; des êtres qui partagent les mêmes rêves et les mêmes aspirations ; qui ont été élevés dans des contextes comparables ; qui ont joué, étudié et rivalisé ensemble. Par opposition, on en vient à considérer la façon toute différente dont les choses se passent pour les femmes : différences qui se situent au niveau des orientations, des espérances et des expériences. Alors on commencera à entrevoir pour quelles raisons, en dépit des lois, la situation ne peut guère avoir beaucoup changé pour les femmes.

En fait, ce qui devient clair, c'est pourquoi, sommés qu'ils sont par la loi d'accueillir des intruses en leur sein sous peine d'encourir une sanction pour avoir refusé de le faire, les hommes en place peuvent faire fonctionner le système de telle façon qu'ils parviennent à éviter, ne serait-ce que partiellement, les deux termes de l'alternative.

Ce qui rend la situation particulièrement inquiétante pour l'avenir des femmes dans l'entreprise, c'est que les données implicites qui sévissent en son sein au niveau des cadres moyens ne font que s'accentuer et empirer au fur et à mesure que l'on gravit les échelons de la hiérarchie. Peu de femmes font partie intégrante de ce système informel et la plupart d'entre elles vont jusqu'à refuser d'en admettre seulement l'existence. Il en résulte que l'image qui émerge de l'ensemble montre un système où opèrent avec intelligence et circonspection ceux que nous avons appelés les gens en place, mais qui exclut avec un soin symptomatique toute intrusion féminine. Et de ce système, nombreuses sont les femmes qui ne savent pratiquement rien d'utile. Ce système, enfin, et précisément parce qu'il est un système, réagit aux menaces qui pèsent sur ceux qui en font partie en fonctionnant de telle sorte que l'insertion de femmes n'en devient que plus problématique.

Une autre façon de bien saisir la complexité du problème serait de réfléchir à cette remarque souvent reprise à propos du problème noir : « On peut certes légiférer contre la ségrégation, mais aucune loi ne saurait imposer l'intégration. » En d'autres termes, dire qu'une personne ne peut être tenue à l'écart ne donne pas l'assurance qu'elle peut effectivement pénétrer dans les lieux et encore moins s'y maintenir. Les croyances, attitudes et certitudes que les gens ont à leur propre égard comme à celui des autres, ainsi que leur propension ou leur répulsion à s'accepter réciproquement, demeurent intouchées par la loi. A un tout autre niveau, surgit l'épineux problème de la compétence. Faute de ne pas se contenter d'être effectivement aptes à rivaliser sur le plan de la compétence, mais d'être de surcroît intimement persuadées de cette aptitude et de cette compétence, jamais les femmes ne parviendront à une insertion à la fois harmonieuse et réussie parmi des individus ou des groupes plus puissants qu'elles-mêmes.

Pour tirer un quelconque profit du principe de l'égalité des chances, les femmes doivent être convaincues qu'elles sont aussi compétentes que leurs partenaires masculins et l'être de fait. Leur degré de qualification dans les domaines qui sont traditionnellement les leurs a toujours constitué l'une des forces majeures des femmes, pour ne pas dire leur principal atout sur le marché de l'emploi ; mais les aptitudes à des fonctions de direction nécessitent une compréhension des relations humaines qui régissent de façon plus ou moins occulte le milieu où s'exercent de telles fonctions ainsi qu'une réelle capacité d'adaptation à ce milieu. Ce type de compétence représente un stade que la plupart des femmes n'ont pas encore atteint dans la hiérarchie interne des entreprises. Or, la notion d'égalité des chances restera vide de sens aussi longtemps que précisément, on n'offrira pas aux femmes de véritables chances d'acquérir le savoir et la pratique susceptibles de les aider à comprendre et pénétrer les structures obscures et informelles qui régissent le petit monde des cadres moyens, ainsi que d'y affronter valablement la compétition qui s'y livre. Une intégration digne de ce nom interviendra lorsque les postulantes se sentiront suffisamment fortes et compétentes pour décider elles-mêmes de leur insertion, et lorsque le système censé les accueillir sera aussi conscient qu'elles le sont elles-mêmes de cette force et de cette compétence.

Les lois mettant fin aux pratiques discriminatoires en matière d'emploi étaient d'une criante et capitale nécessité. Elles auront eu le mérite de provoquer le déclic du changement. La période à laquelle nous avons affaire aujourd'hui constitue la seconde phase d'une évolution où la consolidation des acquis actuels ou bien leur effritement représentent les deux termes également possibles de l'alternative, et l'effritement est de loin l'issue qui entraînera les plus forts dépens. Si l'on convient que les lois ne peuvent à elles seules garantir que des femmes aspirant à faire une carrière de cadre et douées des qualités requises pour assumer efficacement des fonctions de direction parviendront effectivement à la satisfaction de leurs aspirations, alors il est clair que les lois sont insuffisantes et qu'il faut trouver autre chose. La capacité de mettre à profit les ouvertures offertes par le principe d'égalité des chances est le premier point critique du problème considéré, et une telle capacité relève moins d'éventuelles connaissances techniques que de différences fondamentales dans la façon de percevoir les choses, ce qui met en cause la façon d'acquérir des talents à la fois nouveaux et nécessairement différents des précédents. Ce sont les disparités au niveau de la perception de ces problèmes qui ont cantonné les femmes dans des fonctions de surveillance et les ont trop souvent étiquetées comme inaptes aux fonctions de direction.

Le propos essentiel de ce livre est donc d'aider les hommes et les femmes à comprendre la différence critique qui sépare leurs credos et postulats respectifs et réciproques en ce qui concerne l'entreprise en général et les carrières à haut niveau de responsabilité en particulier. Ces divergences se manifestent par un type d'attitudes, des préoccupations et des réactions extrêmement différentes face aux situations critiques auxquelles est confronté un cadre supérieur dans sa vie professionnelle de tous les jours. Les hommes ont une bonne compréhension de leurs propres schémas mentaux, mais ils ignorent ceux des femmes. L'inverse est également vrai, et le résultat d'une telle situation est trop souvent le regrettable cycle des confusions, malentendus et autres erreurs d'interprétation.

En contrepoint, ce livre offre un regard sur la vie et la carrière de vingt-cinq femmes qui en 1970 avaient atteint le sommet de la hiérarchie dans le monde des affaires ou de l'industrie. A première vue, leur histoire semble démontrer que, sans aucune pression légale en leur faveur, des femmes peuvent réussir une carrière extrêmement brillante et au plus haut niveau de responsabilité. Une analyse plus attentive révèle le prix à payer pour un tel succès, à savoir l'hypothèque complète de la vie privée au profit de la carrière jusqu'à l'âge d'environ trente-cinq ans.

Ces femmes étaient toutes issues de contextes familiaux peu ordinaires et elles se sont trouvées entrer dans le monde du travail à une période également peu banale, celle des années trente ; puis elles ont atteint le niveau de cadre pendant l'époque pour le moins troublée de la seconde guerre mondiale. Elles se sont alors montrées capables de comprendre et de travailler efficacement dans un univers masculin et ce, finalement, avec une conscience aiguë aussi bien de leur valeur propre que de leur réussite personnelle. Elles ont beaucoup à nous apprendre, et la moindre leçon n'est sans doute pas que le prix payé pour ce succès est peut-être trop élevé, pour les hommes comme pour les femmes.

Quel enseignement tirer de leur exemple ? Comment faire évoluer les choses ? Comment modifier les préjugés et comportements masculins ainsi que les structures de la vie professionnelle pour la rendre compatible avec ce qui chez les femmes ne peut pas être changé ? Autant de questions posées. Le nombre de femmes qui travaillent augmente chaque année. Le nombre de femmes chefs de famille également. Quant à celles qui recherchent dans leur travail un peu plus qu'un simple moyen de subsistance, leur nombre croît aussi de façon significative. Cependant, modifier des croyances profondément ancrées au point que nul ne songe plus à les remettre en question, faire évoluer les comportements et la sensibilité actuels ne sont pas en soi des tâches aisées, et l'on finit par ne plus savoir par où il conviendrait de commencer.

Dans la dernière partie de ce livre, nous avons essayé d'être aussi précises et pratiques que possible. Il existe toute une série de réalités que les femmes des postes de direction ne reconnaissent pas ou bien encore appréhendent et interprètent dans une optique masculine. Les réalités en question sont d'ailleurs toutes liées à la notion de carrière et concernent des entreprises conçues et traditionnellement dirigées par des hommes. Elles relèvent de la culture, du mode de relations interhumaines et du langage. Et si l'on énonce l'ordre des priorités pour les femmes, il semblerait que la première urgence soit de prendre conscience de ce genre de données. Ensuite, le fait de savoir si l'on veut ou non agir sur celles-ci relève de choix parfaitement individuels.

Pendant les trois années qui ont précédé la rédaction de ce livre, nous avons copieusement sillonné les Etats-Unis et parcouru près de deux cent mille kilomètres. Nous avons enseigné à divers niveaux et dans diverses universités, à des hommes et à des femmes. Nous avons longuement interviewé plus de cent femmes occupant les plus hautes responsabilités dans le secteur public, bancaire ou de l'industrie privée. Nous avons dirigé ou participé à plus de cent séminaires d'une journée et demie consacrés aux problèmes de carrière et regroupant jusqu'à trente femmes cadres. Cette expérience nous a fourni de larges données pour mieux connaître la situation de ces quelque trois mille femmes. Nous avons aussi organisé des séminaires avec un millier de cadres masculins chargés des problèmes féminins et de la promotion des femmes au sein de leur entreprise. Notre rôle de conseillères auprès des entreprises nous a enfin amenées à travailler avec d'importants dirigeants pour l'établissement d'une politique et le développement de stratégies propres à assurer l'égalité des chances devant l'emploi et la mise au point de programmes globaux visant à obtenir une plus grande mobilité des femmes dans la hiérarchie de l'entreprise, et ce en tenant compte de la difficile nécessité d'associer les petits cadres masculins à un tel effort.

C'est la connaissance souvent douloureusement acquise de ces problèmes que nous voulons faire partager dans ce livre.

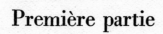

Première partie

1. La situation présente : les hommes et les femmes dans les carrières du management

Au cours du printemps 1973, les auteurs de ce livre ont entrepris d'interviewer longuement et en profondeur toute une série de femmes qui occupaient des postes de responsabilité dans une vaste société d'utilité publique du Nord-Est des Etats-Unis. Nous avons ainsi interrogé 45 femmes parmi les plus anciennes à occuper des positions de cadres supérieurs dans cette entreprise et à l'automne nous avons décidé d'inclure dans notre perspective 63 femmes travaillant à un niveau comparable dans le secteur bancaire.

Les situations des interviewées allaient de présidente en exercice d'une banque de taille moyenne dans l'Ouest à cofondatrice et actionnaire d'une banque du Middle West en passant par des vice-présidentes, adjointes du vice-président et caissières principales de banques urbaines ou de petites succursales en milieu rural, dans l'Est, dans l'Ouest et dans le Middle West. L'âge des femmes que nous avons ainsi rencontrées s'échelonnait entre vingt-sept et cinquante-huit ans et, à une seule exception près, toutes avaient travaillé pratiquement sans discontinuité depuis la fin de leurs études. L'exception en question était, en l'occurrence, une femme soutien de famille qui, à l'âge de cinquante ans, avait été admise à suivre le cycle de formation pour devenir cadre supérieur au sein d'une grande banque du Middle West ; elle avait achevé en huit mois le programme prévu pour dix-huit et occupait les fonctions de vice-présidente responsable des relations publiques au moment où nous l'avons rencontrée.

Lorsque nous avons entamé ce cycle d'interviews, nous étions toutes deux à la Harvard Business School : Margaret Hennig en tant que professeur associé dispensait un cours conçu par elle sur les femmes dans l'industrie et ce, grâce à l'année sabbatique dont elle bénéficiait et qui la libérait de ses obligations envers le Simmons College ; Anne Jardim en tant que membre de la faculté de Droit commercial.

Au début de l'année en question, nous assurions toutes les deux le rôle de conseillères auprès de l'Association des Etudiantes de la Business School. A force de travailler avec ces jeunes femmes, notre intérêt pour la situation dans laquelle nombre d'entre elles se trouvaient n'a fait que s'accentuer en même temps que nous prenions plus nettement conscience de l'absence de réponse de la part de l'administration de l'école. Par exemple, parmi les centaines de cas que tout étudiant doit analyser et résoudre au cours de ses deux années de préparation au diplôme de Harvard, seule une infime minorité concernait les femmes. Et lorsque des femmes figuraient effectivement dans le cas à étudier, c'était généralement pour figurer dans le genre de problèmes avec lesquels le malheureux petit cadre surchargé de travail avait à se débattre. Pour remédier à une formulation qui ne brillait pas par sa subtilité, les étudiantes suggérèrent que l'on changeât les noms sans modifier les cas présentés de façon à ce que les hommes comme les femmes puissent voir et raisonner sur des situations où les femmes apparaissent dans des rôles d'autorité et de responsabilité, et dans un contexte qui requérait à la fois intelligence, compétence et capacité de décision. La suggestion fut rejetée comme impraticable.

Les difficultés rencontrées par les étudiantes dans les salles de cours n'étaient jamais prises en compte et devaient être résolues au mieux par les jeunes femmes elles-mêmes. Beaucoup d'entre elles éprouvaient des difficultés pour atteindre le degré de participation au cours requis par les méthodes pédagogiques mises en œuvre. Leur propre incertitude quant à leur capacité, voire leur volonté, de rivaliser avec les garçons du cours comptait certes pour beaucoup dans ces difficultés, mais l'accueil qu'elles recevaient lorsqu'elles participaient effectivement jouait un rôle également important. Une de ces jeunes femmes nous a raconté qu'elle avait réussi à survivre parmi ses pairs de la gent masculine en décidant que si elle faisait une intervention intelligente pendant un cours, elle garderait résolument le silence pendant le suivant pour compenser, puis elle poserait des questions et s'efforcerait de paraître dubitative dans le troisième avant de risquer une autre remarque intelligente pendant le quatrième. D'autres jeunes femmes se disaient aux prises avec le comportement des étudiants de leur cours qui faisaient progresser la discussion en ne prenant en compte que les interventions de leurs pairs, ignorant délibérément les arguments développés par des femmes : une étudiante intervenant judicieusement dans le cours de la discussion qui s'établissait pendant une séance de travail ne voyait que trop souvent l'étudiant qui prenait la parole après elle reprendre l'argumentation à l'endroit précis où l'avait laissée le dernier jeune mâle de l'assistance, si bien que les conclusions auxquelles elle était laborieusement parvenue passaient pour futiles ou non pertinentes.

Au printemps de la même année, lorsque nous avons commencé à interviewer des femmes déjà en poste dans des fonctions de direction, il nous apparaissait déjà clairement qu'il fallait faire quelque chose pour et avec ces jeunes femmes qui, en tant que petite minorité dans l'empire masculin que représentait la Harvard Business School, se trouvaient en butte à des difficultés dépassant largement les petits problèmes quotidiens que leurs partenaires masculins avaient à affronter. Les étudiantes de la Harvard Business School devaient faire face aux mêmes problèmes théoriques que leurs condisciples masculins... plus tous les autres, qui leur étaient propres.

Cependant, si nous étions bien conscientes de la nécessité de faire quelque chose, nous étions beaucoup moins affirmatives quant à la nature de la chose en question. Quelles étaient, en fait, les implications profondes? Les slogans édredons du genre « manque de confiance en soi », ou « la réussite professionnelle contre la féminité », ou « le succès fait peur aux femmes » ne menaient nulle part. Pour arriver à une quelconque efficacité, il fallait sérier les problèmes avec beaucoup plus de précision. Que signifiait le fait d'être une femme dans ce genre de contexte ? Pouvait-on dire que les prémisses sur lesquelles ce type d'enseignement était censé se fonder étaient si intimement liées à une expérience masculine qu'une femme à qui manquait précisément cette expérience se trouvait objectivement désavantagée ? Quel était le véritable apport de la femme et comment, en conséquence, était-elle susceptible d'agir ?

C'est dans ce contexte qu'a commencé notre série de longues interviews de femmes cadres de direction, au printemps 1973. Au début, nous espérions que ces femmes, à la fois plus âgées et plus expérimentées, dont beaucoup avaient réussi selon les critères masculins, nous donneraient une perception plus claire des problèmes sous-jacents et de ce qui pouvait être fait — puisqu'elles-mêmes l'avaient fait —, pour surmonter les difficultés que nous avions observées chez les étudiantes de la Business School.

Nous avons construit les interviews autour de la carrière de chacune de ces femmes : quand et pourquoi elles étaient entrées dans l'entreprise où elles se trouvaient ; ce qu'elles avaient dû apprendre et comment elles s'y étaient prises ; quels avaient été les obstacles et les éléments favorables ; qui les avait aidées, qui les avait freinées et pourquoi ; quelles décisions cruciales elles avaient eu à prendre au cours du chemin parcouru, au niveau de leur vie professionnelle aussi bien que privée.

Dès la vingtième interview se sont dégagés des schémas

très nets qui furent d'ailleurs confirmés à des degrés divers par pratiquement toutes les femmes que nous avons interrogées. Ces schémas n'avaient d'ailleurs que peu de rapport avec les questions posées. Mais ils concernaient absolument ce que, en tant que femmes, elles avaient apporté à leur travail.

De façon symptomatique, le choix de la carrière était intervenu tardivement, entre trente et trente-trois ans : « Lorsque je me suis subitement avisée que je devrais probablement travailler pendant le restant de ma vie. »

Dans certains cas, il s'agissait de la prise de conscience inopinée du véritable intérêt porté à un métier dont la signification s'avérait finalement beaucoup plus durable que celle d'une vulgaire façon de passer le temps en attendant de trouver mieux. Formulée par un supérieur hiérarchique, la reconnaissance assez inattendue de la qualité du travail fourni tendait souvent à servir de catalyseur dans l'intérêt qu'une femme portait soudain à sa carrière. Elle se rendait subitement compte que certes elle travaillait parce qu'elle y était obligée par les circonstances, mais qu'en plus, elle aimait ce qu'elle faisait. Et elle se mettait à envisager son métier comme un élément essentiel de son avenir.

Le problème était que la grande majorité de ces femmes n'avaient jamais cessé de travailler depuis la fin de leurs études, quel que soit le niveau atteint, et pour nous, une question revenait sans cesse : qu'avaient-elles omis de voir, à quoi n'avaient-elles pas suffisamment réfléchi, ou qu'avaient-elles négligé de faire au cours des dix années antérieures ?

Pendant les années décisives qui précèdent la trentaine, les hommes, eux, se préoccupent unanimement d'asseoir solidement leur carrière. Alors, si ces femmes, à la même époque, se moquaient allégrement des perspectives à long terme, qu'avaient-elles manqué ? Et comment, en dépit de ce handicap, étaient-elles parvenues à leur situation actuelle ? A ce type de question, les réponses oscillaient entre les : « Je réussissais bien dans mon travail et les choses se sont faites toutes seules » et les : « J'ai eu de la chance ; quelqu'un est parti au bon moment et on m'a demandé de prendre sa place », en passant par les : « J'avais un patron qui me croyait capable de réussir », avec des variations sur le mode : « J'ai été poussée à mon corps défendant vers le haut de l'échelle. »

Enfin, d'une façon ou de l'autre, « c'était arrivé ». Même invitées à y réfléchir rétrospectivement, elles sortaient difficilement du mode passif quand elles évoquaient leurs souvenirs. Elles avaient travaillé dur et avaient eu la chance d'être choisies.

Et pourtant, presque toutes ces femmes avaient une idée relativement précise de l'endroit où elles désiraient se trouver dans cinq ans. Certaines en parlaient en termes très précis, d'autres évoquaient un secteur particulier ou un champ d'action où elles souhaitaient intervenir, tandis que les dernières exprimaient leurs objectifs en matière de niveau de responsabilités et de salaires. Cependant, lorsque nous leur avons demandé ce qui, à leur avis, jouerait un rôle décisif dans la réalisation de leurs projets, une autre constante apparut nettement. Toutes liaient étroitement la notion de facteurs décisifs à celle de capacité personnelle, c'est-à-dire à des éléments qu'elles étaient susceptibles éventuellement de contrôler. Elles citaient, entre autres, l'ardeur au travail, une réussite spectaculaire, l'acquisition d'un plus haut niveau de compétence et la formation continue, qu'elle soit interne à l'entreprise ou acquise par des cours du soir à l'université. Puis venaient les éléments liés au comportement et qu'elles évoquaient toujours en ces termes : acquérir plus d'assurance, devenir plus agressive, apprendre à pratiquer effectivement la délégation de pouvoirs. Certaines allaient encore plus loin et exprimaient la nécessité d'avoir un ou une assistant (e) qu'elles formeraient pour prendre en main un certain nombre de tâches courantes, au fur et à mesure qu'elles-mêmes s'élèveraient dans la hiérarchie.

Aucune n'évoqua le problème de l'environnement et du contexte dans lequel elles travaillaient, domaines où

46

leur marge de contrôle se réduisait pourtant singulièrement. Aucune ne parla de la nécessité de faire connaître ses desiderata à qui de droit, de la nécessité de gagner à sa cause aussi bien son chef que ses pairs *et* ses subordonnés, de la nécessité encore de bien connaître les rouages du système politique, de la nécessité enfin d'avoir le profil adéquat, avec les risques que cela comporte. Aucune ne semblait reconnaître que, faute d'apparaître aux autres comme ayant le profil de la personne requise à un certain poste, toute la compétence du monde ne suffisait pas à vous faire attribuer le poste en question.

Et nous nous sommes alors posé cette question : si ces problèmes n'étaient même pas soulevés, était-il pensable que, sur le tas, dans la vie de tous les jours, ils reçoivent au moins un début de solution ? Et dans ce cas, est-ce que l'attitude qui tenterait éventuellement d'influer sur de tels facteurs serait à situer dans une perspective à long terme style : « Il me faut telle chose parce que d'ici trois ans (ou deux ou quatre), la carrière que je poursuis dans cette entreprise pourrait bien s'en ressentir » ? Ou bien conviendrait-il de la rattacher aux pratiques au jour le jour entrant dans le cadre du : « Il faut bien que telle chose soit faite » ? Encore une fois, quelles seraient les éventuelles conséquences d'une action et d'un comportement exclusivement guidés par les contingences d'une perspective au jour le jour, quels éléments échapperaient à leur perspicacité, et quel serait le coût d'un tel aveuglement au niveau de leur carrière ?

Plus tard, nous devions observer, au fil des exemples rencontrés, le véritable coût de cette non-prise en compte du contexte et de l'environnement, avec l'échec qui s'ensuivait lorsqu'il s'agissait de les intégrer dans les mises en œuvre d'ambitions professionnelles à long terme. Ces femmes nous ont offert un premier aperçu d'un schéma finalement classique. Interprétées par une jeune femme d'une trentaine d'années travaillant comme cadre dans une importante entreprise new-yorkaise, les choses se présentaient ainsi : cette jeune femme gagnait 28 000 dollars par an. Elle était intelligente, compétente, dynamique. Elle semblait savoir parfaitement ce qu'elle voulait. Elle avait quitté ses fonctions de responsable du secteur informatique à la demande d'un vice-président de la maison pour une mission de dix-huit mois visant à poursuivre la mise en œuvre de programmes d'action en faveur des femmes : conseils en matière de carrière, organisation de la vie professionnelle, cours de promotion et de perfectionnement, primes de fidélité et bourses de formation continue. Comme moyen de sortir rapidement de l'anonymat et de se faire connaître du personnel de direction en tant que personne intelligente et perspicace susceptible de leur être de grand secours, cette situation et la façon dont elle s'acquittait de sa tâche pouvaient jouer un rôle déterminant dans sa carrière.

Elle travaillait à ce poste depuis six mois ; sa position était difficile et souvent ambiguë (les relations nécessaires au niveau de l'information n'étaient pas aussi claires qu'il aurait été souhaitable et celles qu'elle devait avoir avec les cadres supérieurs masculins de la maison concernés par les problèmes dont elle avait la charge n'étaient guère faciles), mais elle était déjà arrivée à certains résultats positifs. C'est à ce moment que nous l'avons rencontrée pour discuter de l'état de ses travaux, en présence du vice-président concerné, un homme d'accès particulièrement facile et doué d'une grande finesse. La scène se passait un mardi après-midi assez tard. Le vice-président suivit attentivement la discussion au cours de laquelle il souleva un certain nombre de problèmes importants et il semblait bien déterminé à assurer le succès des diverses mesures proposées. Aussi finit-il par lui dire : « Je crois que nous avons maintenant un dossier suffisamment solide pour justifier une prise de position de la direction et obtenir un train de mesures appropriées. Nous sommes en état d'évaluer nos succès aussi bien que ce qui reste à faire en ce domaine. Si vous voulez bien me remettre un projet pour vendredi, je pourrai en discuter avec notre président, puisque nous devons nous voir pendant le week-end. » L'effet de surprise la laissa sans voix quelques instants, puis elle annonça : « Impossible, je dois justement assister à une conférence dans un autre Etat ce même vendredi. » Il la regarda et suggéra doucement : « Eh bien, qu'à cela ne tienne, je ne vois pas d'objection à ce que vous me remettiez ce projet jeudi. » Et elle d'insister : « Mais le problème, c'est que je dois faire une intervention au cours de cette conférence et j'ai prévu toute une documentation audiovisuelle. Je descends donc jeudi pour tout mettre au point. » « Alors, disons mercredi », dit-il. « Mais, protesta-t-elle, nous sommes déjà mardi et j'ai tout mon bureau à mettre en ordre avant de partir. » « Ecoutez, dit-il alors, peu m'importe la façon dont vous allez vous y prendre, moi j'ai impérativement besoin de ce projet vendredi dernier délai. »

A la fin de l'entrevue, nous sommes sorties avec elle, qui se montra fort contrariée de ce qui venait de se passer. « Comment croire, nous dit-elle, qu'on prend vraiment au sérieux les problèmes féminins dans cette maison ? Vous l'avez entendu, n'est-ce pas ? Laissez tout tomber. Oubliez les priorités. Faites ce que je vous dis ! Dieu merci, il ne s'agit que d'un projet. »

Nous lui avons demandé si elle avait la moindre idée de l'offre qui venait de lui être faite, et qu'elle avait dû ne pas entendre ? On venait en effet de lui dire que le travail qu'elle avait effectué jusqu'à présent était d'une qualité telle qu'il était digne de recevoir le sceau présidentiel.

Ainsi les objectifs qu'elle s'était fixés allaient donner corps à la politique officielle de la maison et devenir explicitement le but à atteindre par tous les cadres responsables de l'entreprise. Ce qui signifierait qu'au cours de l'année à venir sa position parmi les responsables masculins avec qui elle avait affaire au sein de l'entreprise en question se verrait singulièrement confortée et sa tâche n'en serait que facilitée. Il était également possible qu'elle ait l'occasion de rencontrer le président en personne pour discuter de son projet, et elle deviendrait

ainsi un visage connu en plus d'un nom et d'une compétence admise par tous. L'enjeu valait-il la chandelle,
dans une perspective à long terme ? Elle parut stupé-
faite. « Mon Dieu, dit-elle, et moi qui n'avais rien vu ! »

C'est dans ce type de confrontation, où la compréhension et la perception doivent se traduire par un comport-
tement et une certaine façon de répondre, que réside
la difficulté. Elle « n'avait rien vu ». Or, ce rien recouvre
une conception de la carrière qui implique des notions
telles que l'avancement, l'amélioration d'une position, ou
l'accroissement de l'influence exercée, aussi bien que les
talents et la compétence. Conception sans doute plus
masculine que féminine, mais les implications du comportement, des éventuels malentendus et de l'art de
comprendre à demi-mot dans le contexte du quotidien
sont absolument gigantesques.

2. Les différences types et leurs implications

Si nous entreprenons de passer ensemble en revue la série des constatations que nous avons pu faire, et toutes sont plus ou moins liées à une différence dans la conception même de la carrière, il en ressort une image aussi nette que cohérente. Arrive en premier le choix tardif de faire carrière, étant entendu par cette expression la décision consciente et réfléchie d'accéder à une promotion à long terme. C'est un choix que, symptomatiquement, la femme ne fait qu'après dix ans de « carrière » précisément, et encore, non moins symptomatiquement, cette décision n'est-elle prise que dans une optique liée aux aspects les plus manifestement quotidiens de son travail, sans interférence de la notion de temps comme système possible de référence par rapport à soi-même, pour évaluer les progrès accomplis ou pour se permettre une période d'adaptation ou un changement de cap, ce que tout emploi, considéré comme point de départ d'une carrière à long terme, permettrait naturellement : « Après tout, je ne sais même pas si je travaillerai encore à trente ans. »

Deuxième constatation : l'aspect passivité. « C'est arrivé, c'est tout... quelqu'un s'en est occupé pour moi », type de réaction propre à bloquer effectivement toute aptitude à évoluer librement entre une expérience passée réussie — qui aura renseigné l'individu sur ses propres forces — et les exigences d'une situation nouvelle. Une expérience passée dont on ne garde qu'un souvenir passif brade aisément les forces et les initiatives obscures prises à l'époque et il faut tout réinventer à chaque fois, au gré des situations. Cette attitude rend difficile toute prévision quant à sa propre aptitude à maîtriser dans un futur proche ce qui a très bien pu l'être dans le passé et cette difficulté est mère de tous les doutes et angoisses qui apparaissent dès lors comme le problème numéro un à résoudre : « Comment acquérir plus d'assurance et de combativité ? »

Troisièmement, l'accent mis sur ses propres progrès en matière de compétence comme facteur essentiel et déterminant dans la réussite d'une carrière. Cette valorisation du mérite de l'individu est en soi liée à une certaine forme de passivité, celle qui mène inéluctablement à « attendre qu'on vous choisisse ». Son bien-fondé dépend de la foi que l'on a dans le pouvoir effectif des structures officielles, dans la validité des définitions des fonctions et des politiques suivies, dans la façon dont les choses devraient se passer ; elle néglige une donnée essentielle, celle du contexte et de l'environnement : le jeu des relations échappant aux structures officielles, la circulation parallèle de l'information, les liens de loyauté et de dépendance, ceux créés par les services dus ou rendus, par une certaine communauté d'intérêts, les protections, autant d'éléments que les hommes ne manquent jamais de prendre en considération, quelle que soit l'importance relative qu'ils leur accordent. Lorsque le système officiel ne fonctionne pas comme il le devrait, l'individu qui s'en remettait complètement à lui se trouve livré aux affres de l'amertume et sombre dans un immobilisme dû à son incapacité à concevoir et accepter que l'influence des structures occultes ne soit ni une exception, ni une aberration, mais un mode de fonctionnement habituel du système.

Ces constatations, ressorties d'entretiens que nous avons eus avec la centaine de cadres que nous avons interrogées au début de notre travail, nous ont servi de base pour l'établissement du questionnaire que nous utilisons depuis dans les séminaires que nous animons, l'un avec des femmes, l'autre avec des hommes, impliqués dans les carrières du management. Avec nos assistants, nous avons enseigné à ce jour à plus de trois mille femmes, plus un millier d'hommes, et tous ont répondu à ce questionnaire puis nous l'ont remis.

La classification et la confrontation des réponses, point par point, permet le repérage immédiat du moindre schéma récurrent.

Mais avant d'aborder ces lignes de force, nous souhaitions vivement attirer l'attention sur la façon dont se font les réponses à ce questionnaire : il s'agit de réponses spontanées, de réactions immédiates, la première idée qui vient à l'esprit. Elles traduisent des habitudes et, en tant que telles, reflètent des réflexes mentaux acquis de longue date et auxquels les individus ont cessé de réfléchir à deux fois. Elles aident donc à repérer les éléments avec lesquels des individus se sentent personnellement de plain-pied avec le cours quotidien de leur vie professionnelle. Elles permettent d'identifier, *en relation avec la conception que tel ou tel individu se fait de sa propre carrière,* ce qui est perçu et ce qui ne l'est pas, ce qui est vu ou pas, entendu ou pas et, en conséquence, ce qui est fait et ce qui ne l'est pas. La façon de répondre des hommes diffère très sensiblement de celle des femmes. Cependant, ces différences ne sauraient en aucun cas constituer un mode d'évaluation de leur intelligence ou de leur compétence professionnelle respectives.

Certes, celui qui aurait pour but avoué d'exploiter ces réponses pour démontrer la déficience de l'une des parties, plutôt que de mettre à jour des différences, pourra toujours le faire mais, en l'occurrence, il invalidera sa propre interprétation en niant les bases sur lesquelles reposent de telles réponses et la valeur relative qui les caractérise.

Ces remarques préalables et essentielles étant posées sur l'utilisation qu'il convient d'en faire, les différences qui apparaissent dans les réponses offrent une perspective absolument extraordinaire sur ce qui sépare le monde des hommes de celui des femmes au niveau du management.

Nous prendrons pour exemple une question aussi simple que : « Que signifie avoir un travail ? » Les femmes répondent qu'il s'agit d'une occupation quotidienne, de neuf à cinq heures, le plus souvent monotone et routinière, mais il faut le faire, c'est la condition de la survie, un moyen de gagner sa vie.

Chez les hommes le schéma est sensiblement différent ; ils parlent de tâche à accomplir, de responsabilités auxquelles il faut faire face, d'engagement(s) à honorer, de moyen de gagner leur vie et celle des leurs. Ainsi, dans leur première réaction, les éléments de contrainte et d'ennui brillent-ils par leur absence, et le fait de travailler est perçu essentiellement comme une tâche dont il faut s'acquitter avec, en filigrane, l'idée qu'ensuite on est libre de faire autre chose. Les femmes, elles, n'expriment pas cette notion d'occupation temporaire, de court terme, de mobilité, l'idée qu'il y a un commencement mais aussi une fin.

Les schémas qui émergent de la façon de définir le mot « carrière » sont encore plus frappants. Les femmes entendent ce mot comme promotion personnelle, réalisation de leurs aspirations propres, une satisfaction, l'idée que l'on rend service aux autres, que l'on fait ce que l'on veut. Toutes choses auxquelles les hommes désirent bien évidemment accéder, mais néanmoins, l'image qu'ils ont d'une carrière englobe une série d'emplois dont la succession implique la notion de progression, comme une voie ascendante sur laquelle on est engagé et dont l'ascension s'explique en termes de reconnaissance des talents et de rétribution. Au cours de tous les séminaires que nous avons animés, pas une seule fois nous n'avons entendu une femme faire allusion à l'idée de reconnaissance ou de rétribution pour définir sa carrière.

Il n'est guère difficile de traduire ces différences de

vues et ce qu'elles impliquent en termes de comportement par rapport à un emploi donné. Les hommes établissent un lien explicite entre leur travail et la conception qu'ils ont de leur carrière comme avancement et
promotion. Pour eux, un emploi donné est partie intégrante d'une carrière. Les femmes séparent radicalement
les deux domaines : un travail appartient entièrement
au domaine contingent du présent, tandis que la carrière
relève d'aspirations éminemment personnelles, dont la
satisfaction éventuelle peut être évaluée seulement par
l'individu. Ainsi devient compréhensible la réaction de
la jeune femme qui était incapable de rédiger le projet
pour le vendredi : si les priorités en matière de carrière
se situent dans un contexte aussi nécessairement vague
et difficile à apprécier que celui de la progression personnelle, par exemple, on est inévitablement amené à
se jeter sur l'exploit exceptionnel dans le domaine du
présent en tant qu'élément excessivement important
dans la notion de mission accomplie, et l'on en vient à
centrer exclusivement ses efforts sur les moindres détails
du travail quotidien. Sur la lancée, on devient aveugle
et sourd à tout ce qui renvoie à une conception différente de la carrière, celle qui concerne la façon dont se
fait, en réalité, l'éventuelle promotion, c'est-à-dire en
suivant toute une hiérarchie de responsabilités dans le
travail et par le jeu de l'influence personnelle que l'on
acquiert. Impliquée comme elle l'était dans le travail
qu'elle avait, préoccupée seulement de la nécessité d'en
venir à bout, plus soucieuse de la situation présente que
d'une carrière « future » au sens où l'entendrait facilement un homme, cette jeune femme n'a pas entendu
une seule seconde le véritable message qu'on lui adres-
sait.

Les hommes à qui nous avons relaté cet incident avaient
peine à croire que quelqu'un puisse réagir comme elle
l'a fait. Au cours d'une occasion inoubliable, nous ani-
mions un séminaire pour les vice-présidents de la même
entreprise. Nous avons raconté l'incident en ne chan-
geant que ce qui permettait d'identifier la compagnie

concernée. L'un des présents se montra particulièrement incrédule. Il dit que les femmes qu'il connaissait dans leur entreprise ne se seraient jamais comportées de cette façon. Il avait en tête un certain nombre d'entre elles, et à titre d'exemple... il la cita, elle. Pendant la pause café, il est d'ailleurs descendu au bureau de la jeune femme pour lui raconter ce que nous avions dit ; il lui répéta qu'il n'y croyait pas et lui demanda ce qu'elle aurait fait. Elle-même nous raconta qu'elle avait avalé un grand coup avant de le regarder droit dans les yeux pour dire : « Eh bien, moi, j'ai assisté à cette scène. »

Tout se passe comme si les femmes ne voyaient leur travail que dans le contexte du présent... maintenant... tout de suite, tandis que l'idée de carrière se voyait rejetée dans le futur lointain des éventuelles satisfactions personnelles. Les hommes, eux, conçoivent leur travail sur le plan du présent et de l'avenir simultanément. Ils l'envisagent comme faisant partie intégrante d'une carrière, et par conséquent, les appels du pied qu'ils perçoivent et enregistrent d'une façon ou d'une autre, les relations qu'ils se donnent tant de mal à cultiver, la mise en valeur de leurs talents qu'ils essaient d'imposer avec acharnement, sont doués de signification dans le présent en même temps qu'ils revêtent une certaine importance pour l'avenir.

Depuis leur plus jeune âge, les hommes savent qu'ils devront travailler pour subvenir au moins à leurs propres besoins. Seule une petite minorité de femmes blanches sont amenées à considérer cette éventualité au cours de leur enfance. Bien au contraire, pour la femme en tant qu'individu, l'accent est mis, explicitement ou implicitement, sur la nécessité de trouver un homme susceptible de les entretenir. La différence de mentalité qui résulte de ce moment crucial où naissent les espérances et les ambitions enfantines est absolument gigantesque. Les petits garçons s'engagent sur une voie et la plupart des hommes arrivés à l'âge adulte sont bien incapables de situer dans leur propre passé le moment précis où ils ont compris qu'ils devaient subvenir à leurs propres besoins ainsi que les implications d'une telle réalité. Les sources de tension et d'angoisse découlant de cette dure nécessité sont, pour les garçons, directement liées à des problèmes contractuels et contingents : Sont-ils capables de faire ceci, pourront-ils dominer tel problème, pour quelle autre chose sont-ils doués ? Mais ils trouvent toujours un réconfort dans l'idée que des hommes font déjà les choses en question et qu'il en a toujours été ainsi. Alors, en mettant les choses au pire, s'ils se révèlent relativement inaptes dans tel domaine, ils en trouveront toujours un autre où exercer valablement leurs talents. Il en va différemment pour la fille qui va emprunter une voie où l'attendent tout un assortiment d'angoisses et de contraintes contradictoires. Va-t-elle trouver quelqu'un pour la protéger et subvenir à ses besoins ? Est-elle assez jolie, assez gentille, assez intelligente... ou bien trop laide, ou trop intelligente ?

Très tôt, les enfants fantasment sur l'avenir qui les attend et l'avenir d'une petite fille comporte toujours et inéluctablement un mari : à ce stade, ses parents constituent son seul modèle de référence. Or, les pères entretiennent épouse et progéniture ; même lorsque la mère exerce une profession, le travail du père est généralement perçu comme primordial. La petite fille se tourne vers les petits garçons qu'elle connaît et se demande : ferait-il un bon mari, s'occuperait-il bien de moi ? Est-ce qu'il serait gentil avec moi — plus gentil que son père ne l'est avec sa mère, ou bien aussi gentil ? En plus, question essentielle : est-ce qu'il me choisirait, moi ? Le thème de la délégation de pouvoir est extrêmement réel et l'angoisse liée à un éventuel échec se pose en termes de : à quoi est-ce que je ressemble ? de quoi ai-je l'air ? pour qui me prend-on ? Mais certainement pas en termes de : de quoi suis-je ou ne suis-je pas capable ?

A la lumière de ces considérations, nul ne songera à s'étonner que la mentalité d'une femme adulte, même si elle revendique fortement son désir de succès professionnel, porte les stigmates d'une réalité différente, réalité qui concerne essentiellement les qualités personnelles et l'effet produit sur les autres, mais fort peu les contingences extérieures. Les difficultés que rencontrent les femmes au niveau de leur carrière lorsque se trouvent confrontés les deux types de réalité sont passablement atténuées par le fait que les hommes, aussi bien que les femmes, sont parfaitement inconscients de l'existence de telles différences.

Mais il existe d'autres aspects récurrents. L'un d'eux concerne la capacité d'envisager une carrière comme faisant partie intégrante de sa vie. Les hommes ont le plus grand mal à séparer leurs ambitions professionnelles de leurs objectifs d'ordre privé. Ils perçoivent l'un comme dépendant de l'autre et, lorsqu'une situation conflictuelle menace de rompre l'équilibre, ils s'efforcent de négocier au mieux l'un par rapport à l'autre, quitte à nager un peu entre deux eaux. Les femmes au contraire font tout leur possible pour maintenir les deux domaines séparés. Elles réfléchissent longuement et décident de distinguer le professionnel du privé : « Ma vie privée n'a strictement rien à voir avec ma vie professionnelle et c'est exactement ce que je souhaite. »

S'il existe d'excellentes raisons pour maintenir un tel cloisonnement, les inconvénients peuvent être douloureux au niveau de la mise en pratique. Les motivations qui poussent à une telle attitude vont de la nécessité d'être une autre personne à la maison, afin de ne pas inquiéter l'homme que l'on aime ou dont on a peur, jusqu'à un implacable sentiment de culpabilité si l'on ne réussit pas à être simultanément la parfaite épouse, et la mère ou la maîtresse. Ce dernier phénomène va de pair avec un type de réaction relevant d'une belle complexité au niveau psychologique et que l'on pourrait grossièrement résumer ainsi : « Etant donné que le rôle que je devrais accepter est celui de femme, je ne puis justifier raisonnablement ma décision d'en accepter un autre que dans la mesure où mes compétences et mes performances dans le rôle de femme ne sauraient être mises en doute par personne, ce qui me laisse les mains libres pour faire le reste. »

La rançon évidente de ce genre de motivation est inéluctablement la même, à quelque degré qu'elle intervienne : la double vie. Mais alors, prise dans une telle dualité, quelle est la marge de négociation possible ? Comment faire la part des choses et maintenir l'équilibre entre les deux parties en cas de conflit ? Dès lors que la femme s'est activement employée à encourager les personnes qui comptent le plus pour elle à considérer que sa carrière lui importait peu, dès lors qu'elle n'a jamais cessé de mettre ce principe en pratique, comment peut-elle obtenir, premièrement, qu'ils croient à une crise née d'un grave conflit entre ces deux aspects de sa vie et deuxièmement, qu'ils l'aident à résoudre le problème ? Elle n'y parvient pas justement, et, dans son optique, elle échoue des deux côtés. Entre-temps, dans la période d'apparent équilibre, sa vie n'aura été rendue que plus difficile par les constantes pirouettes qu'elle devait effectuer pour passer de la personne qu'elle est dans un contexte à celle qu'elle devrait être dans l'autre.

La raison qui pousse les femmes à rendre cette dichotomie si explicite est à chercher dans un domaine beaucoup plus vaste, qui met en cause tout le système social environnant, et dont les hommes comme les femmes ont une approche très semblable : les hommes grandissent en sachant qu'ils devront travailler pendant le restant de leurs jours, c'est ce qu'on attend d'eux, et ils s'y préparent. Ils entrent dans une entreprise où la promotion est la norme traditionnelle sanctionnée par la société. Même minimes, leurs ambitions sont soutenues par les autres, on les trouve légitimes. Un jeune homme brillant est quelqu'un promis à un bel avenir et même les moins brillants doivent faire leurs preuves, négativement, pour ne pas être intégrés dans le système. Car ils doivent faire la démonstration de leur inaptitude. Les femmes, elles, grandissent dans les brouillards de l'ambiguïté : vont-elles ou ne vont-elles pas travailler ? Si oui, pendant combien de temps ? Est-ce là ce que l'on attend d'elles ou pas, et dans l'affirmative pour combien de temps ? Elles entrent dans une entreprise où là la promotion est, comme il se doit, l'exception pour les femmes. D'autre part, vu qu'à priori et souvent de propos avoué, elles ne sont pas censées être capables, elles doivent faire la preuve de leurs talents pour être éventuellement intégrées à part entière dans le système. Car ce qu'elles doivent démontrer, et de façon permanente, c'est leur aptitude. Il leur faut prouver, à l'encontre d'à prioris souvent expressément formulés et qui prétendent le contraire, que leur carrière ne va pas être double, discontinue et secondairement souffrir d'un manque d'engagement total, pesante mise à l'épreuve que jamais l'on n'impose à un homme. Ainsi les femmes ont-elles tendance à ressentir effectivement une dualité au niveau de leur vie et la difficulté de maîtriser conjointement les deux vies qui leur sont imposées, encore que leur aptitude à le faire pourrait fort bien être à l'origine d'une amélioration bénéfique dans les deux domaines. Et elles en arrivent à croire que leur survie dépend du cloisonnement requis par les deux aspects de leur vie.

Combien de cadres supérieurs masculins parmi vos connaissances ont des photos de famille sur leur bureau ? Combien de femmes dans le même cas ? Et pourtant, pour les femmes comme pour les hommes, la route vers l'harmonie passe par ce genre de voies secondaires. Les hommes les empruntent instinctivement, sans même y penser, tandis que les femmes sont persuadées qu'elles veulent le contraire. Telle cette femme, par exemple, travaillant dans une entreprise de vente par correspondance ; seule et unique femme au sein d'une équipe de trente personnes, elle a remporté le prix des meilleures ventes pour l'année 1974. Elle en était tout émue. Le lauréat 1973, un homme qu'elle connaissait assez bien, est venu la féliciter. Il lui a expliqué comment il avait fait encadrer son diplôme, que le résultat était très joli et que si elle voulait, il pouvait lui donner le nom de son encadreur. Ce à quoi elle répondit : « Puis-je entrer dans votre bureau pour y jeter un coup d'œil ? — Mais, dit-il, c'est qu'il n'est pas là. Il est accroché à la maison, dans la salle de séjour. Il faudra que je vous l'apporte. » Elle-même nous a raconté l'anecdote. Son collègue avait paru surpris et elle se souvient s'être fait cette réflexion : « Mais, qu'est-ce qui lui a pris, pourquoi le cadre n'est-il pas dans son bureau ? Il a pourtant gagné cette distinction pour ce qu'il fait ici. Moi, le mien restera là. »

Nous lui avons demandé de nous raconter la façon dont son mari envisageait son travail à elle : pourrait-elle décrire sa perception à lui de ce qu'elle faisait dans le cadre de son métier. Elle a trouvé qu'il était bien difficile de répondre à cette question. « Mon mari comme mon fils savent que j'ai une bonne place. Bien sûr, ils ne sont pas au courant des détails. Ils savent que je m'occupe des ventes. Ils savent aussi que je suis à la fois la seule femme et la seule personne de race noire au sein de l'équipe où je travaille. » (Sourire.) « Et puis ils savent que nous avons besoin de cet argent. »

En réalité, elle en savait beaucoup plus long sur le travail de son mari que lui sur le sien. Nous lui avons demandé comment elle se débrouillait si, par exemple, leur fils tombait malade. Elle nous a répondu qu'elle s'absentait, c'était évident. Nous ne pouvions que nous poser des questions sur le métier qui à leurs yeux à tous deux, revêtait, et de loin, le plus d'importance, le sien ou celui de son mari. Et ne contribuait-elle pas à constamment conforter ce double point de vue ? Nous avons eu le sentiment qu'elle devait bien gagner autant que son mari, et pourtant lui faisait une carrière, tandis qu'elle « travaillait au-dehors », comme on dit, et c'est bien ainsi que tous les deux voyaient la situation. Nous lui avons demandé si elle pouvait vraiment se permettre de manquer son travail quand elle avait rendez-vous avec un client important ou qu'elle devait assister à une réunion non moins importante. Le cas ne s'est encore jamais produit, a-t-elle répondu. Et si l'occasion se présentait ? Elle pourrait sans doute demander à son mari de rester. Et il accepterait ? Il faudrait qu'elle réussisse à le convaincre. Ce qui impliquerait ? Elle a levé les bras au ciel. « J'imagine qu'il faudrait que je reprenne les choses à zéro, que je lui explique en quoi consiste mon travail, pourquoi il faut absolument que j'y aille et pourquoi il faut qu'il reste. » Est-ce qu'il serait plus facile à convaincre s'il était déjà au courant des obligations inhérentes aux fonctions qu'elle exerçait et de ce que son métier signifiait pour elle ? Elle s'est alors contentée de dire calmement et sérieusement : « Je crois bien que je vais rapporter mon diplôme à la maison. »

Quelques mois plus tard, elle nous a écrit. Elle avait effectivement rapporté sa distinction chez elle et l'avait exposée dans la salle de séjour. Elle était encore éberluée des questions qui lui avaient été posées au sujet de son travail, des gens avec qui elle travaillait, de son entreprise. Et ces questions venaient de son mari, de son fils, de ses amis et des amis de son mari.

Une autre différence symptomatique concerne la notion de stratégie personnelle. Les hommes en parlent en termes de victoire, d'objectif atteint, de projet mené à bien. Au cours de la discussion, ils sont amenés à poser une question qui, sous des formes variées, revient toujours à la même chose, à savoir : quel est l'enjeu pour moi ? C'est une question essentielle, dans la mesure où elle permet de prendre l'avenir en considération. L'enjeu actuel, quels que soient ses pouvoirs de séduction, pourrait fort bien, à long terme, compromettre le but que je me suis fixé. C'est le type même de question qui amène une réponse en « Oui, mais... » lorsqu'on se la pose à soi-même et le « mais » conduit invariablement à essayer de prévoir l'avenir, c'est-à-dire à anticiper sur la suite des événements.

L'approche féminine est radicalement opposée. Les femmes situent la stratégie au niveau du procédé : organiser, trouver la meilleure façon, la méthode la plus efficace. L'élément temps est absent des exemples qu'elles donnent : « Pour obtenir tel ou tel emploi, j'ai fait telle ou telle chose. » Quant aux implications dans un an de cette telle ou telle chose faite aujourd'hui... celle qui nous avait répondu ainsi prend subitement conscience de ce qu'elle vient de nous dire. Elle nous a décrit la meilleure façon de résoudre un problème particulier dans le contexte du maintenant, tout de suite, sans se préoccuper le moins du monde de savoir si une telle décision était ou n'était pas susceptible de l'affecter, elle, à plus long terme.

Les raisons d'un tel état de choses sont encore une fois à rechercher dans le passé. Cette recherche met en évidence une réalité qui, pour devenir rapidement surfaite, n'en est pas moins significative, à savoir : les sports, ceux que les garçons pratiquent et auxquels les hommes s'intéressent. Par exemple :

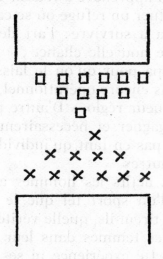

Les commentaires féminins tentent de trouver ce que ce diagramme représente. S'agit-il d'un jeu ? Puis, dans l'affirmative, est-ce du hockey, du football, ou bien éventuellement du base-ball ? Combien de sports fonctionnent avec des équipes de onze ? Est-ce que cela représente les buts ?...

Les réactions masculines portent d'emblée un jugement de valeur. « C'est du football et la partie est pourrie. Videz l'entraîneur. Mettez l'autre chaîne. »

L'explication d'une telle différence dans la façon de réagir commence avec les petits garçons s'initiant à l'équipe, l'appartenance à une équipe, la victoire, la défaite. Leur conception de la stratégie peut au début être terriblement simple : la meilleure façon de **gagner** peut signifier l'art et la manière d'attirer les gros bras dans sa propre équipe afin de mettre une raclée aux maigrichons de l'autre.

Puis les choses se sophistiquent et la répartition des tâches intervient. Il faut une attaque *et* une défense. Les gars doués de l'imagination nécessaire pour prévoir et agir sur les événements possèdent leur valeur propre. L'équipe rend possible l'accès au vedettariat et il faut apprendre à en tirer profit. L'équipe permet aussi de partager la gloire d'une vedette en coopérant activement et là encore, il faut apprendre à réussir ce coup. L'équipe peut même constituer un refuge où se cacher, un endroit où l'on apprendra à survivre : l'art de rester et de se faire accorder une nouvelle chance ; « Après tout, c'est un gars trop sympa pour qu'on le laisse tomber ! » Ou bien : « Il n'est pas encore opérationnel, mais il apprend vite et c'est un joueur réglo. » D'autre part, il faut citer la propension à gagner et nécessairement à gagner en tant qu'équipe et pas en tant qu'individu isolé, indépendant de tous les autres.

Quels principes actifs les hommes apprennent-ils de leur expérience d'un sport tel que le football ? Quels enseignements en tirent-ils, quelle vérités assimilent-ils ? Est-il grave que les femmes dans leur grande majorité ne partagent ni cette expérience ni ses enseignements ?

A titre de simple expérience, demandez donc à un homme que vous connaissez de faire l'effort de se souvenir de l'époque où il pratiquait un sport d'équipe tel que le football. Comment était-ce ? Qu'a-t-il commencé à apprendre ? Que fallait-il absolument apprendre pour pouvoir rester dans l'équipe ?

Avec des variantes qui se limitaient toujours à la forme, voici les réponses que nous avons reçues, inlassablement :

Comment était-ce ?

Qu'avez-vous commencé à apprendre ?

— Il n'y avait que des garçons.

— Le travail d'équipe.

— Travailler dur.

— Savoir se préparer et s'entraîner, s'entraîner, s'entraîner.

— Quand on tombe à terre, il faut se relever tout de suite.

— On avait le sentiment d'appartenir, de faire partie d'une chose qui nous dépassait en tant qu'individus.

— On apprenait que toute équipe a besoin d'un chef parce que la motivation ou l'absence de motivation dépendent de l'entraîneur.

— On apprenait vite que certains individus étaient meilleurs que les autres... mais il fallait quand même être onze.

Que fallait-il absolument apprendre pour pouvoir rester dans l'équipe ?

— La compétition, il fallait gagner.

— L'esprit de coopération nécessaire à l'accomplissement d'une tâche : il fallait travailler avec des gars qu'on ne choisirait jamais comme ami en dehors de l'équipe.

— Si on attrape la grosse tête sur ses bonnes performances à la course, les autres cessent de vous passer les balles.

— La défaite, ce qu'on ressent quand on perd.

— Que tantôt l'on gagne, tantôt l'on perd.

— Accepter les critiques : de l'entraîneur, des coéquipiers, du public.

— Qu'on n'arrive à rien lorsqu'on n'a pas de plans précis et qu'il faut toujours avoir des solutions de rechange.

— Qu'une fois que l'on connaît les règles, on peut les infléchir, et qu'on peut influencer l'arbitre.

Que l'on veuille bien examiner ces réponses dans une double perspective : la façon dont elles définissent un environnement, et les talents personnels qu'elles mettent en évidence comme qualités requises pour survivre dans un tel environnement. Est-ce qu'elles décrivent avec une relative exactitude le contexte où il convient de situer le management dans l'entreprise ? Donnent-elles un reflet fidèle des talents sur lesquels doit compter un manager efficace ?

Au-delà de l'effort et de l'assiduité individuels ainsi que de l'aptitude à recevoir la critique en considérant qu'elle s'adresse beaucoup moins à la personne qu'au résultat obtenu, ces réponses concernent beaucoup les objectifs et les buts poursuivis ; la victoire et l'art d'accepter les défaites en les distanciant : tantôt l'on gagne et tantôt l'on perd ; les relations au sein de l'équipe : comment se maintenir dans un groupe et travailler avec lui ; le rapport à l'autorité, qu'il s'agisse de règlement à observer ou d'individus détenteurs d'une autorité.

Il s'agit là de qualités personnelles qui sont développées chez le petit garçon par le biais d'activités extra-scolaires dont les filles ont toujours été traditionnellement exclues. Après cinq à quinze années de pratique, les hommes débarquent dans le management forts de toutes ces qualités qui sont absolument essentielles au niveau de leur travail, dès lors que l'on fait nettement la distinction entre un travail d'animation et de direction, le management, et un travail de contrôle et de surveillance, c'est-à-dire l'encadrement.

Un travail de surveillance signifie la responsabilité de la façon dont sont effectués des travaux routiniers prévisibles et bien déterminés, par des subordonnés qui exercent leurs talents dans un domaine avec lequel le « chef surveillant » est extrêmement familier. Il ou elle a généralement « grandi » dans l'activité concernée. Après en avoir acquis la maîtrise dès le début de sa vie professionnelle, il ou elle s'est montrée un parfait exécutant et s'est ainsi vu(e) promue au rang de chef chargé de superviser le travail qu'il ou elle-même faisait jadis.

Les objectifs à atteindre et les places pour y parvenir sont généralement fixés d'avance et confiés au chef en question pour qu'il s'y conforme. Les problèmes relèvent de la routine et du prévisible et peuvent être résolus sur le tas.

L'apprentissage des aspects plus techniques de ce travail peut se faire individuellement, en suivant des séminaires, des cours, ou par la lecture de manuels spécialisés.

Le mode de relations formelles nécessaires dans le cadre de ce type de travail s'établit selon des structures éminemment verticales : on remonte la filière jusqu'au patron, et on redescend en direction des subordonnés.

Franchir la barrière qui sépare les fonctions d'encadrement de celles du management implique, de la part de l'individu qui s'y prépare, l'acceptation et la possibilité de se soumettre à un certain nombre de changements fondamentaux au niveau de ses compétences, changements pour lesquels il n'existe pas de structure officielle de formation susceptible de faciliter sa mutation.

Dans les emplois du management, les objectifs à atteindre et les moyens adéquats pour y parvenir ne sont plus aussi clairement définis qu'au niveau de l'encadrement. Cette tâche relève de plus en plus des responsabilités du manager. Or, la réussite en ce domaine requiert une conscience aiguë des points forts et des points faibles de l'équipe de travail, doublée de l'aptitude à équilibrer l'un par rapport à l'autre sans susciter de conflit destructeur. Certains individus sont meilleurs que les autres, « mais il faut quand même être onze ».

Fixation des objectifs. Mise au point d'un projet. Mais ensuite, comment donner corps à ce projet ?

« L'équipe a besoin d'un chef parce que la motivation ou l'absence de motivation dépendent de l'entraîneur. » « Connaître les règles pour les infléchir. » « Influencer l'arbitre. » « Accepter les critiques de son propre entraîneur, de ses coéquipiers, du public. » « Gagner et perdre. » « Tantôt l'on gagne et tantôt l'on perd. »

Une autre mutation à opérer au niveau des compétences concerne la résolution des problèmes. Dans les fonctions d'encadrement, il s'agit de problèmes relevant plus ou moins de la routine quotidienne pour lesquels il existe des solutions plus ou moins valables et éprouvées. Le manager, lui, doit *anticiper* sur les problèmes éventuels et si possible avoir des alternatives toutes prêtes. « On n'arrive à rien lorsque l'on n'a pas de plans précis, mais il faut aussi toujours avoir des solutions de rechange, au cas où. »

Reste le problème de la formation pour effectuer ces reconversions. L'enseignement traditionnel ne peut apporter que des connaissances techniques. Tout ce qui concerne les relations humaines au niveau du travail ne peut s'apprendre que de façon informelle, sur le tas. Or, les hommes ont déjà des acquis importants au niveau des règles permettant de fonctionner en équipe, et des relations qui s'établissent entre les hommes à l'intérieur de cette équipe. « L'esprit de coopération pour mener une tâche à bien. » « Si on attrape la grosse tête sur ses bonnes performances à la course, les autres cessent de vous faire des passes. » « Certains individus sont meilleurs que les autres, mais il faut quand même être onze. »

Et puis il faut aussi compter avec la nécessaire évolution au niveau des structures formelles qui régissent les relations humaines. Le système vertical qui prévaut au niveau de l'encadrement — on monte jusqu'au chef et on redescend vers les subalternes — se complique par l'intervention de tout un réseau de communications horizontales avec des homologues opérant dans d'autres secteurs et dont la contribution ou l'absence de contribution a des implications qui s'expriment aussi bien en termes de budget qu'en termes de productivité sur l'effort que peut fournir l'équipe ou le département pour lequel on travaille. A défaut de pouvoir recourir à une autorité formelle pour impulser le résultat souhaité, il faut bien se rabattre sur l'influence, avatar de l'amitié, de la persuasion, des petits services dus ou rendus, des promesses devant être tenues si l'on prétend être opérationnel dans l'avenir, des relations avec les gens qui possèdent déjà une certaine influence, de l'image de soi perçue par les autres... Est-on vu comme un gagnant, un membre du « club », ou un perdant en puissance ?

L'expérience acquise par la plupart des petites filles ne trouve pas de prolongement. Pour elles, les sports nobles ont tendance à se limiter à des sports individuels : le tennis, la natation, le golf, la gymnastique, le patinage. Or, dans les sports individuels, le vieil adage selon lequel « peu importe de remporter ou non la victoire, ce qui compte c'est la performance par rapport à soi » a été tant de fois répété que beaucoup de tenniswomen qui ont aujourd'hui plus de vingt ans continuent à jouer pour « se donner de l'exercice » ; elles ne jouent pas pour gagner. Même si les choses sont en train de changer, elles ne changent pas vite. Rares doivent être les pères qui ont le courage d'affronter le ridicule dont s'est couvert certain brave homme résistant à l'ironie gouailleuse de l'entraîneur des juniors, qui insistait pour que sa fille porte un protège-sexe si elle voulait faire partie de l'équipe de base-ball.

Les sports d'équipe. Equipe contre équipe. Pour gagner, remplir son contrat. Ce qui signifie l'obligation de développer une stratégie qui prenne en compte l'environnement, le contexte extérieur, qui peut être utile, et quoi ? Qui peut être un frein, et quoi ? Quand ? Dans quelles proportions ? Comment utiliser tel facteur ou compter avec tel autre pour arriver à ses fins ? Et si l'objectif visé est de faire carrière dans le management en grimpant les échelons de la hiérarchie de son entreprise actuelle, qui est le mieux placé pour gagner : le monsieur qui voit la vie telle qu'elle est, c'est-à-dire un monde où alternent les victoires et les défaites, un monde composé d'équipes, de vedettes, de joueurs moyens ou médiocres, son monde en somme, ou la femme qui se bat pour découvrir le monde tel qu'il devrait être et qui cherche la meilleure méthode pour arriver à cet idéal ?

Avant même que puisse s'établir un malentendu, nous tenons à préciser clairement que notre propos n'est absolument pas de porter un jugement de valeur, quel qu'il soit, sur les objectifs recherchés. Nous ne prétendons pas que celui-ci est bon et celui-là mauvais. Ce que nous disons, c'est qu'il existe une réalité, qu'elle n'est que trop réelle, et que les hommes perçoivent cette réalité et agissent sur elle dans une proportion beaucoup plus importante que ne le font les femmes. Le mot stratégie possède aujourd'hui des connotations désagréables qu'il hérite sans doute des politiciens qui ont fini par perdre de vue leurs objectifs moraux pour adopter sans l'ombre d'une hésitation à la fois l'éthique étriquée du jeu sportif et le langage des terrains de foot, sans même se donner le mal de l'adapter un tant soit peu ; ces hommes se sont emparés de la notion de victoire dont ils ont fait une fin en soi, sans jamais se demander ce qu'ils gagnaient par cette victoire, dès lors que le fait de gagner suffisait à les contenter. Nous aurions tendance à croire, mais il ne s'agit là que d'une hypothèse, que très peu de femmes sont capables d'acquérir cet état d'esprit, dans la mesure où peu nombreuses sont celles qui envisagent le fait de gagner comme une victoire personnelle. Au contraire, les femmes auraient plutôt tendance à illustrer l'attitude inverse : « Fais de ton mieux, et souhaite que quelqu'un finisse par te remarquer. » Pour les hommes comme pour les femmes, la solution à ce dilemme se trouve sans doute dans une position médiocre, et si les hommes ont besoin de mettre un frein à leur envie de gagner, les femmes, elles, feraient bien de développer un peu plus ce genre d'envie.

Ce qui ne signifie absolument pas que les femmes doivent se mettre au diapason des hommes. Ce dont il est question en fait, c'est que les femmes, en tant qu'êtres pensants, soient capables d'évaluer plus concrètement l'enjeu d'une situation, c'est-à-dire de savoir ce qu'elles veulent profondément et comment y arriver, en ayant bien conscience du coût éventuel de l'opération, comme de la gratification qui s'ensuivra. Et si les femmes se mettent à se poser ce genre de questions, elles auront nécessairement à tenir compte de l'environnement.

Une autre différence marquante entre les hommes et les femmes concerne la façon dont ils envisagent le risque. Qu'appelle-t-on risque ? De quoi s'agit-il ? A ces questions les réponses divergent de façon frappante. Les hommes appréhendent la notion de risque en termes de gain ou de perte, de victoire ou de défaite, de danger ou d'occasion favorable. Dans tous les groupes masculins où nous avons enseigné, les réponses ont oscillé entre ce type d'alternative, un individu répondant négativement et l'autre positivement, mais tous s'accordant à reconnaître que telles sont les deux facettes du risque.

Les femmes, elles, envisagent le risque de façon entièrement négative. Risque est synonyme de perte, de danger, de dommage causé, de ruine, de malheur. Il convient de faire tout son possible pour l'éviter. Pourtant, il existe une autre dimension. Pour les hommes, c'est l'avenir qui est mis en cause par le risque ; on risque de compromettre ses chances, un gain futur, un avancement dans la carrière. Une erreur grave qui peut vous coûter toute chance de bouger par la suite. Les femmes voient le risque comme pouvant affecter le présent, remettre en cause leurs acquis actuels, et tout ce qu'elles possèdent.

Ce genre d'attitude n'est pas sans conséquences au niveau du comportement. Le fait de percevoir le risque comme un danger pour le présent conduit à ce que l'absence de danger immédiat masque les éventuelles incertitudes quant à l'avenir. Par exemple, une femme, récemment promue responsable d'un des départements de la production dans une vieille et honorable entreprise fabriquant des biens de consommation, en est venue à nous expliquer qu'elle ne réussissait vraiment pas à comprendre comment son nouveau patron pouvait tolérer l'un de ses collègues qui dirigeait un service parallèle au sien ; c'était un monsieur de 57 ans parfaitement incompétent qui, pour être son aîné, n'en était pas moins sous ses ordres et constituait le pire ailier qu'on puisse trouver dans une sélection. Elle admirait beaucoup son patron, le trouvait gentil et le respectait, à ce détail près.

« Ce type se pavane dans un bureau encore plus grand que celui de mon patron. Il arrive à dix heures et à trois heures il s'en va à son club d'éducation physique.

Si vous l'entendiez pendant une réunion, à croire qu'il ne parle pas des mêmes produits. Et personne ne lui dit quoi que ce soit. » Il est vrai, reconnaissait-elle, que personne ne le prenait vraiment au sérieux, mais là n'est pas le problème... Pourquoi le laissait-on à ce poste ? S'il ne tenait qu'à elle, elle le flanquerait à la porte, ou lui accorderait d'office une retraite anticipée, enfin n'importe quoi, du moment qu'il quitte les lieux. Elle lui en voulait d'autant plus que le département qu'il dirigeait venait de congédier une jeune et brillante recrue qu'elle avait justement sélectionnée pour son propre service. Elle est d'ailleurs allée trouver le patron à son sujet mais, nous a-t-elle raconté, « il a pris l'affaire à la rigolade, en faisant des remarques du genre : " Sacré vieux Joe ! Il va falloir que vous appreniez à le connaître. Il travaille dans la maison depuis beaucoup plus longtemps que moi. Il sait se débrouiller. " Sûr qu'il se débrouille bien. Pour dénicher les meilleurs restaurants entre autres. Il ne fait rien de la journée, mais on le laisse tranquillement licencier l'une des personnes les plus douées que nous ayons recrutées cette année, quelqu'un dont j'avais vraiment besoin. »

Il se trouve que nous connaissions bien son patron, qui était extrêmement compétent comme elle l'a dit elle-même. Quelques semaines plus tard, nous sommes allées lui demander si les choses s'étaient arrangées. Il a secoué négativement la tête : « Elle est en train de se suicider. Joe est dans la maison depuis longtemps. Il connaît des tas de gens et les propos qu'elle tient commencent à lui revenir aux oreilles. Elle ne voit d'ailleurs pas le danger. C'est vraiment du suicide. » Pourquoi ne pas avoir un entretien avec elle et lui expliquer la situation ? Il nous a regardées : « Comment lui dirais-je que Joe se trouve où il est parce que son copain de classe, celui avec qui il est allé à l'université, avec qui il partage une location pendant les vacances, et si mes renseignements sont exacts, celui qu'il peut appeler à n'importe quelle heure du jour ou de la nuit, est l'un des vice-présidents de la maison ? Elle est tellement braquée avec ses histoires d'honnêteté, de vérité, de légitimité et de bien, que tout ce que je gagnerais à lui dire : " Vous avez raison. C'est un minable. Il doit son poste à des amis haut placés ", c'est que tout le monde serait au courant des propos que j'ai tenus. Je ne puis d'ailleurs m'empêcher de penser qu'à sa place un homme aurait déjà pigé la situation. D'une façon ou d'une autre, l'idée lui serait venue que pour avoir tenu si longtemps, Joe devait avoir des amis influents. Ou du moins un homme se serait interrogé : " Qui est-ce ? Comment se trouve-t-il là ? " et aurait avancé avec circonspection jusqu'à ce qu'il ait confirmation de ses hypothèses, sans partir immédiatement en guerre, — ce qui est la meilleure façon pour que les gens se taisent. Je ne pourrais jamais expliquer le cas de Joe à une va't-en-guerre. D'ailleurs pourquoi le ferais-je ? Je suis ici pour faire une carrière dans le marketing, pas pour me chercher une cause.

« Et puis vous savez, Joe a ses bons côtés. Quand je veux faire passer quelque chose sans en faire toute une histoire — disons une nouvelle idée que j'ai envie de lancer pour voir si elle marche —, j'en touche deux mots à Joe et je laisse courir. Le truc est infaillible. Le grand patron a l'impression que ce brave vieux Joe pense tout de même une fois de temps en temps, ce qui justifie la protection qu'il lui accorde, quant à moi je fais passer mes idées. Certes, les collaborateurs de Joe font tout le travail et je dois m'assurer qu'ils sont valables. Mais dans cinq ans Joe sera parti. Moi, j'ai encore plus de vingt ans à faire dans la boîte. »

Les risques. Pour cet homme, le risque concernait l'avenir, il compromettait ses chances d'avancement ; un risque reconnu, pesé et évalué, qu'il pouvait utiliser à son avantage. Elle ne voyait pas une seconde les risques qu'elle semblait prendre délibérément au niveau de sa carrière. En fait, son emploi présent n'était absolument pas en cause, on ne pouvait pas la licencier pour les sentiments que lui inspirait Joe et, dans ces conditions, l'idée de risque était dénuée de pertinence. Or, ironie suprême, personne n'était disposé à prendre le risque de l'aider à changer de point de vue.

Les risques. Réponses différentes parce qu'il y a différence au niveau de la perception. Et différence de comportement pour ces deux raisons. Encore une fois, nous ne cherchons pas à porter de jugement de valeur. Notre propos n'est pas de faire la part du bien et du mal. Nous nous contentons de dire : c'est ainsi que les choses se passent et la façon dont elles se passent constitue inéluctablement la réalité à laquelle on se trouve confronté. Les femmes ne voient pas le risque de la même manière que les hommes. En conséquence de quoi elles agissent ou n'agissent pas, conformément à leur perception propre. Seule la femme qui a saisi cette différence peut, individuellement, décider si elle a intérêt à changer ou pas.

Il reste une dernière différence qui concerne le style et le rôle convenant à une situation donnée. Il s'agit d'un problème mouvant et difficile à saisir. La variété des gens à côtoyer et des tâches à accomplir impose une égale variété au niveau des rôles à assumer et des styles à adopter. Le rôle de subordonné à certes un côté universel mais on peut le remplir en ayant recours à des comportements de style très différent. Il y a par exemple le style « bras droit » et le style « suiviste ». Dans le premier cas, on a l'impression d'avoir affaire à une personne active, qui essaie d'aider et qui fait preuve d'initiative ; dans le second, le sentiment de passivité domine, avec quelqu'un qui suit les directives et obéit aux ordres. Mais on peut aussi bien s'acquitter du rôle de subordonné adoptant le style « jeune collègue », voire en traitant d'égal à égal, ou comme un ami.

Comment s'effectue le choix à ce niveau ? Quel est l'élément décisif qui fait opter pour tel style plutôt que tel autre ? Les hommes tendent à calquer leur attitude sur ce que leur patron attend d'eux, tandis que les femmes obéissent à l'idée qu'elles se font d'elles-mêmes. La différence est de taille. Elle suppose en effet que les hommes seront nécessairement plus attentifs à des signes et autres messages que les femmes ne verront ni n'entendront même pas.

Il peut d'ailleurs s'agir de détails infimes, le langage que l'on utilise, la façon dont on parle, dont on s'habille, le fait que l'on apparaisse ou pas vif et intelligent, ou lent et réfléchi, que l'on soit un assistant ou plutôt un suiviste et surtout quand, en présence de qui, et dans quel contexte. Pour les hommes, la question sous-jacente est parfaitement claire : que souhaite ce patron, parce qu'il a certainement le pouvoir de me soutenir ou de me briser les reins pour l'étape suivante de ma carrière.

Sans doute il existe des hommes qui rechignent ou même se refusent à adopter le style éventuel exigé par leur patron. Mais dans ce cas, sont-ils parfaitement conscients du prix qu'ils devront éventuellement payer ce manque de souplesse, ou bien ont-ils une contre-stratégie, — un appui plus haut placé dans la hiérarchie, ou une compétence indéniable qui assurera leur avancement quoi qu'il en soit, ou un patron qui selon eux ne possède pas le pouvoir de les bloquer. Dans une des entreprises que nous connaissons, on exige des jeunes cadres le style brave soldat fidèle au poste et la tenue imposée est précisée dans les moindres détails puisqu'il est de bon ton de porter des chaussures de chez Gucci. Les hommes parlent beaucoup et avec ironie de ces contraintes, mais tous achètent et portent les chaussures en question.

Les femmes, centrées qu'elles sont sur leur véritable identité, accordent beaucoup moins d'importance aux desiderata et autres exigences des autres : « Je suis comme je suis, c'est à prendre ou à laisser. » Ce genre d'attitude, qui marque une distance vis-à-vis de son patron, de son travail et d'éventuelles contingences, est inévitablement plus difficile à assumer. On n'a pas le sentiment de jouer à un jeu particulier ou d'adopter un style un peu différent temporairement et dans son propre intérêt. Tout est fait pour de bon. L'investissement personnel est évident, en conséquence de quoi la vulnérabilité à la critique et à l'outrage personnel ne peut être qu'accentuée, tandis que devient d'autant moins probable la foi en la possibilité de s'acquitter d'un travail que l'on ne connaît pas ou que l'on n'a encore jamais fait.

Quand et comment les hommes acquièrent-ils l'apparente souplesse et l'art de la dissimulation, c'est-à-dire — sans que s'y attache le moindre jugement de valeur — la capacité de masquer leurs sentiments ? La réponse nous a été au moins partiellement donnée par une jeune femme de vingt-huit ans travaillant comme cadre dans une grande banque : « Il y a quelque chose qui m'a toujours gênée. J'avais une dizaine d'années, et je me rappelle que mon frère, qui avait deux ans de plus que moi, passait tous ses samedis à jouer avec une petite bande de gamins dans la rue. Il ne revenait que pour déjeuner et tous les samedis sans exception nous entendions la même sérénade contre deux de ces garçons. Des vraies terreurs. Il ne pouvait pas les supporter. Ce qui ne l'empêchait pas, le déjeuner fini, de retourner jouer avec eux. Et au dîner nous avions droit au même couplet. La situation était tellement impossible qu'un jour je n'ai pas pu me retenir de lui dire : " S'ils te déplaisent tant, pourquoi est-ce que tu joues avec eux ? " Il se contenta de me fixer avec stupéfaction pour me lancer : " Tu es folle ou quoi ? Il faut bien que nous soyons onze pour faire une équipe ! " J'ai beaucoup réfléchi à cette réponse, sans la comprendre. Je savais bien que moi, si j'avais ainsi détesté une autre fille, rien n'aurait pu me décider à jouer avec elle. »

Les garçons apprennent une chose que les filles ne savent jamais, c'est la souplesse : l'art de se forger un style, une façon de se comporter, qui permette d'obtenir plus facilement ce que l'on désire. Et, autre élément essentiel, l'art de pratiquer ce style parmi ses pairs sans même être conscient de ce que l'on est en train de faire, ce qui n'a rien à voir avec l'affrontement personnel que l'on peut avoir consciemment pour l'emporter sur une quelconque autorité, comme celle qu'incarne la figure parentale, par exemple. Les garçons apprennent à s'accommoder l'un de l'autre, à se tolérer, et même à s'utiliser dans une mesure que les filles jugent carrément sans intérêt. Plus tard, dans un contexte commun d'opinions et d'expériences antérieures et similaires, les hommes apprennent à participer à des réunions en s'accommodant des autres, en les tolérant et même en les utilisant dans des proportions souvent incompréhensibles pour une femme. Pour les hommes, l'amitié peut être prisée en tant qu'avatar agréable des relations de travail. Pour les femmes, les relations amicales tendent à constituer un à priori.

En fait, le problème du comportement masculin au sein d'un groupe est souvent soulevé par les femmes. « Comment deux hommes qui se détestent aussi souverainement peuvent-ils participer à une réunion commune en feignant une réciproque considération et le désir de se rendre mutuellement service, alors que tout le monde sait parfaitement de quoi il retourne et fait semblant d'y croire ? Comment peut-on atteindre un tel niveau d'hypocrisie ? »

La question est symptomatique. Les mœurs officielles tendent à se calquer sur celles d'une société dont les membres sont tiraillés entre le succès d'un côté et la médiocre survie de l'autre ; la position que l'on occupe entre ces deux extrêmes semble définir le statut que l'on a dans son appartenance à la société en question. Tant que l'on n'a pas gagné, la discrétion est de rigueur. Pourquoi vouloir à tout prix être ennemis alors que l'amitié est le meilleur moyen pour arriver à ses fins ? A douze ans, tous les petits garçons savent déjà qu'ils auront besoin de dix autres personnes pour faire une équipe, que cela leur plaise ou pas.

Les femmes apportent des manières qui appartiennent à une autre société, une société dont les membres persistent à entretenir des relations humaines dans la mesure où elles offrent la définition la plus évidente d'un individu donné. Les femmes tendent donc à considérer de telles relations comme une fin en soi et l'expérience féminine est rarement susceptible de contredire ce point. Le résultat est que, sans même le savoir, les femmes ont tendance à tomber dans le grand piège de l' « hyper-affectivité » : l'intolérance, soit le « il/elle ne me plaît pas, donc je ne peux pas travailler avec lui/elle », ou une douloureuse vulnérabilité face aux critiques éventuelles.

Si une femme admet sans se poser de questions que la qualité des relations qu'elle entretient avec d'autres est ce qui prime, et agit en conséquence, si elle n'a pas de véritables et tangibles ambitions professionnelles, si donc elle concentre ses énergies sur l'accomplissement de sa tâche au jour le jour, sans tenir compte des pressions occultes, positives ou négatives qui peuvent influencer le cours de sa carrière, les chances de parvenir à prendre des distances suffisantes par rapport aux contingences immédiates, en les considérant comme le tribut à payer à la réussite de son avenir professionnel, sont singulièrement réduites. Et tout aussi réduites d'ailleurs sont ses chances que des hommes conçoivent seulement, derrière son comportement, qu'elle souhaite effectivement faire carrière.

Mais finalement, toutes ces différences de mentalité ne font que renforcer une image, celle que bien des femmes occupant des fonctions dans le management perpétuent d'ailleurs inconsciemment auprès de leurs collègues masculins. Les hommes travaillant dans le management ont tendance à juger les autres hommes en fonction des conceptions qu'ils se font d'eux-mêmes, des carrières du management en général et des entreprises où ils fonctionnent en particulier. A tous ces niveaux, les conceptions féminines ont une sérieuse tendance à diverger des leurs, mais ni les hommes ni les femmes ne sont réellement conscients de ce problème, et même le monsieur qui se vante d'être juste et objectif (« J'essaie de traiter tout le monde de la même façon ») est inévitablement amené à appliquer des critères qu'il utilise pour lui-même et les autres hommes quand il s'agit d'évaluer les potentialités d'une femme. En conséquence de quoi, il aura tendance à percevoir quelqu'un qui semble redouter d'aller de l'avant, d'où il conclura que la personne en question est moins « motivée », qu'elle peut apparaître intolérante et hyperémotive par rapport aux hommes qu'elle supervise, quelqu'un qui semble ignorer les aspects informels de l'entreprise. Autant d'impressions qui se liguent pour confirmer le tenace désavantage dont sont victimes bien des femmes au moment où elles seraient susceptibles d'accéder aux postes du management.

3. Faire carrière
ou les étapes vers le management

Les premiers échelons du management font l'objet d'un défaut d'appréciation qui tend à définir la nouvelle situation sur le plan des salaires, de l'intéressement aux bénéfices ou du statut particulier : taille du bureau, et moquettes sur le sol. Il n'est pratiquement jamais question des changements affectant effectivement la nature et le mode du travail à accomplir et qui consistent essentiellement en un passage des fonctions d'encadrement à des responsabilités plus larges et dépassant le cadre strict du département où elles s'exercent.

La mutation revêt une importance cruciale aussi bien pour les hommes que pour les femmes, et mérite d'être examinée de deux points de vue distincts : celui de la carrière, dite normale, qui mène à ces niveaux de la hiérarchie, et celui d'un homme ou d'une femme qui accomplit cette promotion.

Nous commencerons par la carrière « normale ». La voie la plus classique fait progresser des individus à partir d'une expérience technique ou d'une spécialisation donnée vers les fonctions plus générales propres au management. A partir de ce moment, l'escalade des échelons suivants implique d'autres niveaux de spécialisation qui requièrent une approche à la fois plus large et plus conceptuelle de l'art de savoir décider et résoudre des problèmes.

En terme de progression dans les fonctions considérées, le travail d'un spécialiste consiste principalement à appliquer un type précis de connaissances techniques à la solution de problèmes essentiellement routiniers, de façon à assurer l'accomplissement correct des tâches assignées. A ce niveau, les responsabilités d'encadrement et la surveillance sont extrêmement liées à la notion de tâche accomplie et au bon usage de techniques et autres connaissances spécialisées.

Par opposition, le passage au management implique beaucoup plus un travail de coordination avec des personnes occupant des fonctions parallèles dans d'autres secteurs de l'entreprise, de façon à s'assurer que le travail effectué dans son propre département est en harmonie aussi efficace que possible avec les objectifs immédiats de l'entreprise et les opérations en cours de réalisation ; c'est à ce niveau que se situent essentiellement les responsabilités d'un cadre travaillant dans le management.

A des échelons plus élevés du management en question, les cadres supérieurs sont moins impliqués dans les tâches de vérification pour s'assurer qu'un travail est effectivement accompli ou dans la prise en compte des impératifs à court terme de l'interdépendance opérationnelle qui lie les différents secteurs d'activités. Par contre, ils sont beaucoup plus concernés par la définition d'objectifs et de politiques de développement à long terme, impliquant des départements entiers, afin d'apporter la cohérence nécessaire aux opérations menées par l'ensemble de l'entreprise.

Vue sous cet angle, la carrière professionnelle qui mène aux échelons les plus élevés du management est essentiellement et inéluctablement dépendante de cette première mutation qui fait passer l'individu concerné des fonctions d'encadrement technique ou spécialisé à celles plus vastes et moins précises du cadre exerçant ses talents, dans les premiers échelons du management.

La transition exige d'emblée une aptitude à s'adapter avec succès à ces nouveaux types de responsabilité, qui impliquent parfois une certaine répétition, mais dont certains sont entièrement nouveaux et bien particuliers aux nouvelles fonctions à remplir.

Passage des fonctions d'encadrement aux premiers échelons du management :

	Encadrement	**Management**
Compétence technique	Maîtrise d'une fonction ou d'un secteur particulier.	Connaissance opérationnelle des impératifs d'autres fonctions ou secteurs.
Définition des objectifs	Réalisation des objectifs définis par les supérieurs. Court terme.	Mise en œuvre d'objectifs inter-départements plus vastes et à plus long terme ; définition d'objectifs précis pour le personnel subordonné.
Planning	Réalisation de plans déjà décidés.	Définition et développement de plans pour la réalisation des objectifs.
Problèmes à résoudre	Au jour le jour.	Anticipation de ces problèmes et mise au point de solutions de rechange toutes prêtes.
Liaison inter-départements	Généralement non indispensable	Toujours essentielle pour la réussite du travail.
Base de formation	Formelle et à orientation technique. Cours, cycles de formation, études de manuels de textes.	Informelle et orientée sur la compétence : formation sur le tas par l'observation des autres pairs, supérieurs ou subordonnés.
Système informel	Peu d'interférence avec le travail à accomplir.	Incidence primordiale sur la réussite.
Confiance en soi/ Confiance dans les autres	Quand la situation l'exige, possibilité d'avoir recours à la compétence de quelqu'un d'autre.	Importance croissante de l'aptitude à déléguer ses pouvoirs à d'autres.

Cette liste ne prétend pas être exhaustive, mais elle est censée faire ressortir les changements essentiels exigés par le passage aux fonctions du management. La mutation n'est pas évidente pour les hommes. Pour les femmes, les difficultés sont plus grandes encore dans la mesure où il faut abandonner un certain formalisme au niveau de l'apprentissage, de la réalisation du travail et de la promotion pour des normes beaucoup plus floues.

Pour la femme qui entre dans une entreprise avec des aspirations qui diffèrent singulièrement de celles d'un homme pris dans les mêmes conditions, elle qui éprouve certaines difficultés à dire, non sans emphase : « Je vais travailler pour le restant de mes jours, alors je veux faire carrière », elle qu'intéresse surtout l'acquisition de compétences pour le travail qu'elle fait actuellement, laissant les questions de promotion et de carrière se résoudre toutes seules. Pour la femme donc, la transition est excessivement ardue.

Si nous tentons de la suivre depuis le premier jour où elle va travailler jusqu'à la position qu'elle occupe dix ou douze ans plus tard, elle semble devoir partager beaucoup de caractéristiques avec la femme hypothétique que nous allons décrire. De façon symptomatique, celle-ci a fait des études universitaires en lettres ou sciences humaines. Elle était bonne en langues, littérature, histoire, psychologie ou sociologie, musique ou arts plastiques. Elle quitte l'université sans être sûre de savoir en quoi consiste une qualification professionnelle et a une certaine propension à croire, qu'en tout état de cause, elle n'en possède aucune. Beaucoup de femmes dans le même cas font alors une école de secrétariat pour acquérir des connaissances dont elles puissent se dire qu'elles représentent effectivement une qualification professionnelle, puisqu'il y a demande sur le marché de l'emploi et qu'il s'agit de quelque chose de tangible et susceptible d'être utilisé. Cependant, elle a la chance de trouver un emploi dans l'administration des services du personnel où, certes, elle doit taper à la machine, mais pour elle-même. Lentement elle creuse son trou et commence à se rendre compte qu'il existe certains types de compétence qu'elle peut acquérir sur le tas. Au fur et à mesure que s'accroît sa compétence personnelle, augmente aussi son sentiment de sécurité. Elle a la possibilité effective d'accéder à ces compétences et de les utiliser non moins effectivement et, avec le temps, elle découvre que le fait de les utiliser contribue à renforcer son sentiment de sécurité dans un autre domaine. Les hommes avec qui elle travaille commencent à la considérer comme quelqu'un d'extrêmement efficace dans son travail, en dépit de son appartenance au sexe féminin. Elle se met alors à développer un authentique sentiment de légitimité face au travail qu'elle fait et qu'elle est en droit de faire, aussi bien à ses propres yeux qu'à ceux des autres, si elle en juge par leurs réactions.

Au cours de toute cette période, elle aura eu tendance à ne pas investir vraiment dans une perspective de carrière à long terme. Son propos s'est limité à s'acquitter au mieux de son travail actuel et de se former sur le tas. Elle ne sait pas exactement combien de temps elle devra travailler, ni même si elle continuera à travailler au cas où elle se marierait. A défaut d'objectifs à long terme, la concentration de ses efforts sur le présent est donc compréhensible. Elle souhaite que ce qu'elle vit actuellement soit aussi valable que possible. Elle s'inscrit à des cours de perfectionnement ; elle se plonge dans la lecture de manuels et de revues professionnelles.

Après plusieurs années, sa grande compétence lui vaut d'assurer désormais des fonctions d'encadrement. Arrivée à ce stade, elle a énormément investi dans les connaissances qu'elle a acquises et celles-ci, de leur côté, ont sensiblement contribué à lui conférer une certaine identité. Il lui est difficile d'accepter que d'autres, ceux qu'elle a maintenant sous ses ordres et dont elle supervise le travail, aient la même démarche qu'elle ; du reste, beaucoup sont loin d'avoir ce souci. Sa méthode à elle consiste à leur mâcher la tâche et faire elle-même le travail supplémentaire. Elle devient quelqu'un qui fait en même temps qu'elle supervise. Elle est responsable de toutes les tâches qu'elle assumait précédemment, elle supervise ce que font ses subordonnés et s'acquitte en plus de tout le travail supplémentaire dû au fait qu'elle tient à s'assurer personnellement de la perfection de tout ce qui émane du domaine dont elle a la charge. Pour en être plus sûre, elle a tendance à préférer faire les choses par elle-même. Elle contrôle donc avec minutie, vérifie scrupuleusement et devient une maniaque des barres aux « t » et des points sur les « i ».

C'est un style qui laisse peu de place à l'initiative personnelle et ne favorise guère la délégation de pouvoir. Son message est clair : elle n'a confiance qu'en elle. Elle a tendance à choisir ses amis hors de son milieu de travail, les contacts qu'elle a à l'intérieur tendant à rester formels et exclusivement professionnels. Si elle se trouve toujours à ce poste lorsqu'elle atteint la trentaine, il est très probable qu'elle décide alors qu'elle a un bel avenir professionnel devant elle ou, à tout le moins, qu'elle envisage le fait de travailler comme une perspective à long terme. Le problème est qu'à ce stade elle a déjà acquis un certain style, et le style en question se caractérise par la précision, la non-délégation de pouvoir, le fait de ne compter que sur soi pour l'accomplissement d'une tâche, l'existence de structures formelles et de règles définissant aussi bien le travail qu'elle doit faire que sa réalisation pratique.

Un tel style ne s'est pas forgé consciemment ; elle n'y a jamais réfléchi en termes d'élément susceptible ou pas de l'aider à avancer. Les patrons défilaient. Selon le degré de leur compétence, elle devait souvent s'acquitter en plus d'une part du travail qui leur revenait. Eux voyaient en elle une « assistante hors pair », et savaient parfaitement que si elle venait à partir il faudrait probablement deux personnes pour la remplacer. Dans le même temps, ils estimaient également qu'elle avait « atteint le plafond de ses possibilités » avec la situation qu'elle occupait actuellement. Le style qu'elle arborait et qu'elle n'avait jamais songé à modifier l'étiquetait irrémédiablement comme « potentiellement inapte au management », et au moment précis où, pour la première fois peut-être, elle commençait à envisager sérieusement une carrière à long terme.

Et pourtant, pourquoi aurait-elle songé à revoir son comportement? Pour quelle raison? Ses supérieurs s'entendaient tous pour louer la précision scrupuleuse avec laquelle elle s'acquittait des charges qu'on lui confiait. Les augmentations de salaires arrivaient à l'avenant. Elle n'attendait rien de particulier. Faire correctement le travail qui lui incombait avait souvent suffi à l'occuper tout entière.

Tel est pour un nombre très important de femmes le cruel dilemme que pose le passage aux carrières du management. Le style de comportement qu'elles ont adopté pour gravir les échelons jusqu'aux portes du management, au niveau tactique comme au niveau psychologique, est celui qui a fait d'elles les « perles » qu'elles sont devenues dans leur catégorie. Mais ce style pèche par absence de dimension stratégique, d'ambition à long terme. En conséquence de quoi elles omettent d'y inclure une certaine souplesse et ne mesurent pas suffisamment le coût présent par rapport aux bénéfices futurs. Elles ne saisissent pas les petits signes qui disent qu'il faudrait envisager certains changements dans le style. Totalement absorbées par les tâches à accomplir et les compétences à développer, elles ignorent les variables pourtant essentielles que constituent les questions de comportement.

Notre femme hypothétique tend à atteindre le tournant décisif du management en étant une spécialiste hors pair capable de contrôler avec une efficacité et une précision rares le travail d'autres spécialistes. Néanmoins, c'est une femme qui vient de dépasser la trentaine et qui a donc encore trente ans de vie active devant elle. Elle est brillante et compétente.

Pour les hommes, le comportement est effectivement une variable importante pour accéder aux carrières du management. Leur comportement propre comme celui des autres. Pour sous-jacente et inconsciente qu'elle soit, la certitude de devoir travailler la plus grande partie de leur vie confère à tous les hommes l'objectif suivant : tirer le maximum d'une telle situation, ce qui s'entend souvent en terme de réussite professionnelle. Il est symptomatique qu'un homme accède à son premier poste de manager sans même être conscient d'y avoir été préparé psychologiquement, puisque cette formation remonte à sa petite enfance. Il n'est pas moins symptomatique que ses années de collège et d'université lui aient assuré une bonne formation en mathématiques ou en sciences économiques ou en droit commercial, en même temps qu'elles lui inculquaient de façon nette et définitive que l'âpre compétition représentait un facteur inhérent de la réussite.

Pour lui, le premier emploi constitue le point de départ d'un apprentissage. Son espoir d'aller de l'avant dès qu'il aura relativement maîtrisé ce qu'on lui demande actuellement est finalement modeste puisqu'un nombre incalculable de ses semblables en ont fait autant avant lui. Alors pourquoi pas lui ? Tout le problème se résume en fait à trouver la méthode la plus efficace pour parvenir à ses fins et, si son aptitude à juger de ce type d'efficacité peut être plus ou moins bonne, au moins tentera-t-il de le faire.

Si, titulaire d'un diplôme universitaire, il est intégré dans un programme de formation accélérée, il a tous loisirs de se faire remarquer tandis qu'il évolue au sein de l'entreprise qui l'a recruté. S'il entre dans un modeste service financier ou de marketing, ou s'il est embauché comme assistant du contremaître dans une usine, l'environnement lui offre des perspectives plus restreintes mais la certitude qu'il ne va pas passer là le restant de ses jours est déterminante au niveau de son comportement.

Apprendre et aller de l'avant. Faire en sorte que les gens se rendent compte que vous pouvez prétendre à mieux. Essayer d'acquérir de l'influence sur les gens qui ont le pouvoir de vous aider à gravir les échelons. Se rendre nécessaire, indispensable à de telles personnes. Tenter de percer ce qu'ils aiment et ce qui leur déplaît. A partir du strict nécessaire pour mener à bien le travail actuel, élargir le champ des informations pour y inclure des gens susceptibles de vous aider à en changer. Qui sont-ils, bons, mauvais, indifférents ? Sur qui faut-il faire porter toute son énergie? Trouver la personne adéquate en tâchant de ne pas tomber sur un ringard. A ce stade, les changements sont-ils valables ? Est-ce qu'ils vous offrent plus et plus vite ? Passer dans une autre entreprise ? Trouver la réponse à toutes ses questions et se découvrir quelqu'un de bien placé, et ce quelle que soit la solution retenue, une personne susceptible de vous servir de parrain, de rabbin, et dont vous deviendrez le poulain, le protégé; quelqu'un qui investira sur vous, vous aidera, vous formera et parlera en votre faveur. Si votre choix est bon, vous grimperez avec lui. Dans le cas contraire, faites machine arrière et tâchez de le planter là. Mais trouvez vite quelqu'un d'autre.

Il serait passionnant de traquer les implications psychanalytiques d'un tel schéma. En effet, il reproduit la quête du père, la révolte inéluctable contre lui et, en bout de course, le désir de paternité. C'est un schéma qui calque les premières expériences d'un jeune garçon, avec le père représentant la puissance, l'autorité et la liberté face au monde entier. C'est aussi le schéma qui sert encore de base, dans notre société, à la définition de l'identité masculine et il constitue le commun héritage de tous les hommes qui réussissent dans le management. Car ainsi fonctionne leur monde à eux.

C'est dans ce contexte que notre jeune homme hypothétique arrive au tournant qui doit lui ouvrir les portes du management. Il parvient d'ailleurs à ce stade beaucoup plus vite et de façon nettement plus économique que la jeune femme hypothétique dont nous avons suivi l'itinéraire. Lorsqu'il atteint ce niveau, ce qu'il a fait jusque-là tend à lui avoir fourni une connaissance et une compréhension beaucoup plus larges de la façon dont fonctionne l'entreprise au sein de laquelle il se trouve : les objectifs qui sont les siens, les gens qui y travaillent, surtout ceux qui peuvent lui être de quelque importance. Comme elle, il a le plus souvent dû acquérir une certaine maîtrise dans un domaine technique particulier [1] mais sans toutefois s'investir autant dans cette activité, car ses motivations n'étaient pas les mêmes. Dans son cas à elle, l'investissement personnel, pour exclusif qu'il était, devait lui conférer une certaine légitimité et par là une forme de sécurité ; pour elle comme pour les autres. Dans son cas à lui, la légitimité en question, il la portait en lui et considérait que sa sécurité dépendait de données sensiblement différentes, à savoir : le fait d'être perçu par les gens qui comptaient comme un jeune homme doué de « potentialités intéressantes ».

Au moment de faire le saut, ce qui l'angoisse surtout, notre jeune femme, c'est le fait de se couper d'un monde qu'elles connaissait, du confort qu'il y avait à travailler dans un domaine qui lui était familier et qu'elle dominait parfaitement, ce qui constituait le fondement même de son sentiment de légitimité et de sécurité, pour le seul plaisir d'aller affronter des problèmes et des gens nouveaux et sensiblement différents de ceux auxquels elle était habituée dans un environnement où elle pourrait bien être la seule et unique femme à occuper un poste de ce rang.

Lui craignait surtout de s'engager sur une voie de garage, de se couper des gens qui le soutenaient. Pourrait-il se constituer une bonne équipe ? Trouver des assistants valables ? A quoi ressembleraient ses collègues ? Le nouveau patron serait-il quelqu'un susceptible de lui apporter beaucoup ? Disposerait-il de l'influence nécessaire pour faciliter son avancement ?

La façon dont elle perçoit les problèmes qui l'attendent est entièrement centrée sur sa propre personne. Est-elle

_____

1. Nous connaissons cependant nombre de cas, et ils ne doivent pas être exceptionnels, où des hommes ont commencé leur carrière comme assistants directs du P.-D.G., acquis certaines connaissances de base relatives à plusieurs départements sans jamais se spécialiser particulièrement sur aucun secteur; on en est venu à les considérer comme de vrais « généralistes », ils sont restés au sommet de la pyramide avec des variations de titre correspondant à une augmentation des responsabilités, et ils ont ainsi totalement escamoté les premiers échelons du management.

ou n'est-elle pas capable ? Ce genre de préoccupation en circuit fermé compromet son aptitude à juger les autres objectivement. Elle a tendance à les voir par le biais de l'éventuel impact qu'ils peuvent avoir sur le sentiment qu'elle a de sa propre compétence.

Chez lui, les problèmes à affronter sont vus sous l'angle exclusif des gens qui l'entourent et de leurs possibilités à eux. Il s'agit donc d'un souci parfaitement extraverti qui ne fait qu'aiguiser la perception qu'il a de qui sont les gens et de ce qu'ils veulent, la réponse à la première question tendant d'ailleurs à déterminer son attitude à lui par rapport à la seconde, à savoir : se conformera-t-il aux desiderata de cette personne-là ?

Ses problèmes à elle se nourrissent les uns des autres et finissent par s'amplifier réciproquement. Alors qu'autrefois sa parfaite compétence constituait la preuve formelle qu'elle méritait le poste qu'elle occupait, elle a le sentiment qu'il lui faut à nouveau faire ses preuves aussi bien vis-à-vis d'elle-même que vis-à-vis des hommes qui l'entourent.

Et cette mise à l'épreuve intervient à un niveau de responsabilités beaucoup plus complexe et à un moment où elle n'a que trop conscience qu'elle ne maîtrise pas bien les fonctions dont elle est censée s'acquitter.

Sous l'impulsion de cette vieille et angoissante obsession de légitimité, ce besoin de se justifier face aux autres et face à elle-même, de prouver qu'en dépit de son appartenance au sexe féminin elle est capable de faire ce travail qu'elle connaît bien, et compte tenu du fait que rares sont les exemples de femmes ayant jamais accédé à ce rang et qui auraient pu lui donner un peu confiance, notre jeune femme tend à se replier sur elle-même. Elle évite de poser des questions, de peur de trahir son ignorance de certains aspects du travail que, d'après elle, elle devrait connaître, attitude qui l'empêche de s'instruire utilement. L'angoisse la gagne avec la même intensité chaque fois qu'elle découvre un trou dans sa culture ou dans son expérience, ce qui la conduit à prendre sur son temps personnel pour comprendre chaque détail, aussi insignifiant soit-il, tandis qu'elle fait face, comme il se doit, aux impératifs quotidiens de son métier. L'apparente assurance des hommes qui l'entourent, même si elle ne repose sur rien de concret, ne fait que renforcer son malaise.

Une femme, cadre chez Bell System [1], nous a décrit les affres de sa première année de management, lorsqu'elle a été promue au rang de chef de service :

« J'ai eu cette promotion après le Consent Decree [2]. Toutes les filiales devaient promouvoir un certain contingent de femmes et je suppose que j'étais du nombre. Je crois que je méritais effectivement une telle promotion mais il m'arrive de me demander si je l'aurais obtenue sans le fameux accord.

« Je venais de la Régie. C'est là que travaillent toutes les opératrices et ce service est donc très féminisé. Les hommes étaient souvent envoyés là pour se former au management, et leur formation était assurée par des femmes. C'est ainsi que nous étions toujours dirigées par des hommes, ceux-là mêmes parfois dont nous avions assuré la formation.

« J'ai suivi toute la filière des opératrices, passant d'abord chef d'équipe puis chef opératrice. Ma promotion au rang de chef de service constituait une véritable première pour les femmes.

« Je n'ai jamais oublié mes premiers mois à ce poste. Je n'avais aucune expérience du management. Je n'avais qu'une idée très vague de ce qui se faisait dans les autres services et ne savais ni qui interroger ni quoi demander. Le pire pour moi était l'idée que mes collègues, qui

---

1. Bell System est une des filiales de A.T. & T. (American Telephone & Telegraph) qui en comprend 22. Le grade de chef de service correspond au premier échelon relevant vraiment du management (il y en a encore quatre après).

2. En janvier 1973, l'A.T. & T., qui représente la première entreprise privée des E.-U., passa un accord avec le ministère du Travail, aux termes duquel l'A.T. & T. s'engageait à consacrer une somme importante au titre de rattrapage en faveur des femmes et autres minorités qui auraient été lésées par des pratiques discriminatoires au sein de l'entreprise. En échange des promotions et augmentations de salaires financées par la somme en question (38 millions de dollars au total), l'Etat consentait de substantiels avantages fiscaux à l'A.T. & T.

étaient tous des hommes, pouvaient se dire que je devais ce poste aux seules vertus de l'accord passé avec le ministère. Je savais que certains le pensaient effectivement et, au début, il m'était impossible de seulement poser une question, au cas où il se serait avéré que j'étais censée en connaître la réponse. J'avais trop peur de me trouver ridiculisée et j'entendais déjà le ricanement de ces messieurs : " Chef de service, et elle ne connaît même pas le boulot. "

« Ma première réunion de travail fut un complet désastre. J'étais là, seule et unique femme de l'assemblée, chef de service, régie. Face à eux tous. Qui se connaissaient entre eux. La plupart avaient derrière eux plusieurs années d'expérience à la tête de leur service. Ils venaient aussi bien des secteurs difficiles, ceux où il n'y avait pas de femmes : outillage, réseau, génie, que des autres.

« La plus grande partie de la réunion m'est passée largement au-dessus de la tête. A un moment, ils sont entrés dans une discussion extrêmement technique. J'ignorais presque tout de l'équipement et de son utilisation. Je ne connaissais pas les nomenclatures techniques avec lesquelles ils jonglaient sans se soucier d'éviter le recours constant à des sigles obscurs tels que S.I.E. pour Système à Interrupteur Electronique.

« A la fin de la réunion, j'avais noté toute une colonne de lettres et j'ai passé des nuits entières à compulser des manuels, pour les élucider. Je n'osais demander à personne. Cela semble ridicule à présent, mais à l'époque je n'avais aucune envie d'en rire. J'ai failli démissionner. Sans mon mari, je l'aurais certainement fait. »

Il est difficile d'oublier cette femme, son angoisse et la façon obsessionnelle avec laquelle elle essayait de s'en débarrasser. C'est le type d'angoisse qui pousse les plus jeunes en quête de sécurité psychologique et de légitimité bien établie à se cantonner dans la spécialisation. Quand elles trouvent l'étiquette réconfortante : « Oui, votre place est ici. Oui, vous occupez un poste qui vous revient de droit. Oui, en dépit de votre appartenance au sexe féminin vous êtes capable de faire ce travail », il est bien difficile d'y renoncer.

Quand une telle étiquette est abandonnée pour passer le cap du management, il faut repartir à zéro, reprendre tous les risques déjà affrontés et l'enjeu psychologique est encore plus grand. La sécurité qu'offrait une parfaite compétence dans un domaine technique bien défini ne suffit plus. Il n'est pas question de compter sur soi et sur soi seulement. Le système de formation change, le système de mise en œuvre change, *et la clef qui donne accès aux deux se trouve dans la nature même des relations que les hommes savent établir entre eux*. Dieu reconnaît les siens.

Pour les femmes, ce type de relations est extrêmement difficile à vivre. Si elles y parviennent, c'est généralement au prix de pesantes connotations et sous-entendus d'ordre sexuel, à moins que les relations en question ne se situent sur un terrain tellement asexué que la femme s'y trouve alors perçue et décrite comme « masculine » : « Un vrai cheval, rude à la tâche, mais à part ça comme femme, zéro. »

Dans la plupart des cas, les femmes ne souhaitent ni l'un ni l'autre et évitent les deux. Mais le piège est de taille : à un niveau, étant femme, vous vous faites un devoir de bien connaître votre travail afin de justifier votre simple présence à ce poste; à un autre, précisément parce que vous êtes une femme, vous courez beaucoup plus de risques en développant les relations humaines qui vous permettent de parfaire vos connaissances; à un troisième niveau, plus souterrain et toujours parce que vous êtes femme, la notion de « féminité » et ses rapports avec l'idée que vous vous faites de vous-même deviennent des variables qui peuvent donner lieu à de cruelles manipulations.

Cette femme chef de service chez Bell System, qui disait : « Sans mon mari, j'aurais certainement démissionné », faisait sans doute allusion à ce dernier aspect du problème. Quoi qu'elle ait eu à affronter en tant que femme sur le terrain de son travail, la présence de son mari la confortait dans son identité de femme et de femme capable de faire ce travail. Les femmes seules sont infiniment plus vulnérables.

Dans ces conditions, existe-t-il une solution ? Et dans l'affirmative, le fait de la connaître représente-t-il une aide valable pour les femmes, ou la triste confirmation que les difficultés sont effectivement bien grandes ?

Nous pensons que la solution existe et qu'elle fonctionne dans les deux sens. En prenant acte des difficultés, en expliquant pourquoi elles existent, elle offre aux femmes une perspective non négligeable. En effet, les femmes qui croyaient être individuellement et à elles seules la source unique des problèmes qu'elles avaient à affronter dans les emplois, carrières, fonctions et environnements dits masculins, découvrent qu'à un degré ou à un autre, toutes les femmes partagent leurs difficultés parce qu'elles ont en commun un héritage de croyances et de postulats qui contribue à modeler l'idée que nous avons de nous-mêmes. Si nous devons jamais changer ce qui compromet nos chances de succès, alors il est urgent de comprendre le pourquoi et le comment de ce handicap, en reprenant les choses à leur début, à savoir la notion même de féminité et la façon dont son développement diffère de l'évolution psychologique vécue par l'homme.

4. Comment on devient homme ou femme

Les hommes comme les femmes puisent dans les structures qui régissent leurs relations familiales la notion fondamentale de leur propre identité et le modèle tout aussi fondamental qui servira de base aux relations qu'ils établiront ensuite avec les autres. Dans une culture dominée par la famille de type nucléaire telle que nous la connaissons, c'est avec sa mère que l'enfant, fille ou garçon, établit son premier contact avec autrui, et la dynamique de cette relation, sans nul doute la plus importante, est toujours la même, quel que soit le sexe de l'enfant. Les petits garçons comme les petites filles aiment leur mère, ont besoin d'elle et en sont dépendants. Le sentiment qu'ils ont de leur propre identité passe par elle selon des lois inextricables. C'est elle qui confirme à leurs yeux le fait qu'ils existent, pour le meilleur ou pour le pire.

Le complexe d'Œdipe, ainsi que l'ont longuement exposé les théories de Freud, met en cause le traumatisme affectif subi par le petit garçon lorsqu'il doit se faire à l'idée qu'il lui faut s'arracher à sa mère. A trois ou quatre ans, les petits garçons annoncent souvent, avec la plus touchante naïveté, voire avec une réelle passion, qu'ils épouseront leur mère quand ils seront grands. La résolution de ce douloureux problème, qui intervient lorsque l'enfant finit par admettre qu'il ne pourra pas épouser sa mère, a fait l'objet de descriptions littéraires abondantes et détaillées et que Gregory Pochlin a récemment résumées en parlant d' « échec monumental », échec auquel le petit garçon répond en abandonnant momentanément les amours et désirs de l'enfance.

Le fait est que le petit garçon renonce à ce premier attachement qui le liait à sa mère, *quelle que soit la menace réelle ou imaginaire qui le pousse à cet abandon*, essentiellement pour attendre une autre femme, qu'il rencontrera au cours de son adolescence ou de l'âge adulte. Le sentiment de perte, la blessure infligée à son affectivité, le dommage causé à la fragile estime de soi qui était la sienne, le sentiment d'abandon, tous ces épiphénomènes ont reçu un écho sensible et émouvant dans les recherches cliniques menées sur ce sujet. Il s'agit là de problèmes douloureux à vivre mais l'enfant doit faire face, et il réagit de plusieurs façons : soit il cherche à se réprimer dans le but d'expulser de sa conscience le sentiment de perte et de souffrance ; soit il tente de nier l'existence d'un tel sentiment par une attitude de refus ; soit il extériorise l'agression que subit son être propre, et une telle extériorisation peut prendre la forme négative d'agressivité destructrice envers les personnes et les choses ou s'exprimer positivement à travers des activités développant ses connaissances, son adresse, son expérience. Cette agression peut également être intériorisée et dirigée délibérément contre son être propre qui devient ainsi méprisable, et la blessure est alors perçue comme un châtiment mérité.

Il est fort probable qu'aucune de ces attitudes ne suffit à elle seule à surmonter ce premier déchirement. En fait, elles interviennent un peu toutes de concert et l'importance relative que prend l'une par rapport à l'autre dépendra fortement du soutien ou de l'absence de soutien apporté par l'entourage, celui-ci s'exprimant surtout dans l'attitude et le comportement de ceux qui comptent le plus pour l'enfant, c'est-à-dire au premier chef ses parents. Cependant, vu que la crise éclate à un âge (entre cinq et sept ans) où le petit garçon commence justement à aller à l'école qui lui apporte à la fois des contacts avec d'autres enfants et ses premiers centres d'intérêts à l'extérieur du cercle familial, il trouve là un soutien supplémentaire non négligeable. D'autre part, le petit garçon atteignant un âge où il peut prendre part à des activités masculines, l'attention que lui porte son père s'en trouve singulièrement accrue. On s'attend à le voir devenir agressif, et la manifestation de cette agressivité est bien accueillie tant par ses parents que par ses camarades. Il est censé se dépenser dans des jeux brutaux, faire preuve d'indépendance et d'initiative. En résumé, on l'engage fortement, par la pratique de la rétribution, à canaliser et orienter son agressivité sur des voies plus positives, ce qui lui donne l'occasion d'acquérir une certaine confiance en ses facultés de domination sur le petit environnement qui est le sien.

Quel que soit le type de défense que le petit garçon ait tendance à développer, les pressions socialisatrices dont il est l'objet lui donnent clairement le choix entre deux comportements : ou bien une extériorisation constructive de l'agression subie ; ou bien une attitude de complet refus.

La première est gratifiante en elle-même et pour elle-même. Elle offre à l'enfant la confirmation du sentiment de sa propre identité face aux autres à une période où celle-ci se voit menacée par le traumatisme affectif que constitue la résolution du complexe d'Œdipe. Soumis à l'influence active de ses petits compagnons, le jeune garçon en vient à voir les petites filles comme des êtres inférieurs, plus timides et plus faibles que les garçons. Cette tendance est d'ailleurs en parfaite harmonie avec la valeur que notre société accorde traditionnellement aux filles en même temps qu'elle apporte une réponse au besoin inconscient de nier le déchirement de l' « échec monumental » par lequel se solde la résolution du complexe d'Œdipe.

La perte du premier attachement à la mère, une femme, est compensée par l'acceptation de ce postulat primitif qui veut que les femmes, comme les filles, ne valent pas la peine qu'on s'attache à elles. Au niveau conscient, la mère fait l'objet d'une exception à cette règle, surtout si elle favorise l'idée de la supériorité du mâle en ayant une préférence marquée pour son fils. Elle est « à part » dans la mesure où, pour elle, lui aussi est « à part ». Au niveau inconscient, le traumatisme de la perte de la mère, donc de la perte d'une partie de son identité, crée chez le petit garçon le besoin impérieux de réprimer la souffrance, de nier l'abandon dont il est l'objet, et de s'exprimer avec force et agressivité. Les moqueries et sarcasmes impitoyables dont les garçons de cet âge couvrent ceux des leurs qui demeurent ostensiblement attachés à leur mère ne sont pas le fruit d'un hasard. L'épouvantail de la « mauviette » reste par trop douloureusement proche d'eux.

Ce thème de la perte comme sentiment vécu au niveau de l'individu, avec tous les systèmes de défense qui cherchent à pallier un manque cruellement ressenti à grand renfort de compensations venant se combiner à diverses tentatives de refus, ainsi que la structure sociale des croyances et préjugés qui permettent à la fois de trouver ces compensations et de confirmer rationnellement le bien-fondé de ces refus ont un caractère insidieux et tenace qui filtre jusque dans les détails les plus insignifiants. Il n'y a pas si longtemps (1973), un reportage télévisé sur le sport montrait deux frères champions du lancement du disque. L'aîné, qui paraissait avoir treize ou quatorze ans, venait d'être battu par le plus jeune qui devait en avoir onze. Et le cadet d'expliquer, avec une désarmante candeur, que sa victoire n'était pas entièrement méritée vu que son frère avait affronté la compétition avec un doigt foulé. Comment était-ce arrivé ? « Eh bien, répondit joyeusement le jeune garçon, je l'ai traité de fillette, alors il s'est jeté sur moi. »

Avec plus d'expérience et un âge plus vénérable, James Lowell Jr, l'un de nos astronautes vedette, fit cette déclaration pour le moins étonnante : « Nous n'avons jamais expédié de femmes dans l'espace parce que nous n'avons pas encore eu de bonne raison de le faire. Cependant, nous envisageons tout à fait, dans un futur assez proche, d'en envoyer quelques-unes là-haut pour les utiliser de la même façon que nous le faisons sur terre et dans le même but. »

A tous les niveaux, le petit garçon trouve des échappatoires taillées sur mesure pour compenser ce fameux traumatisme affectif étudié et inventorié à satiété par des générations entières de psychanalystes dont l'inépuisable sympathie ne s'est jamais démentie. Il y a les encouragements ouverts à trouver un dérivatif dans une activité débordante, avec tout le système de rétribution qui confirme le petit garçon dans le sentiment qu'il commence à avoir de sa propre identité ; il y a le poids de la société qui tend à confirmer ses propres tentatives pour nier la perte éprouvée : il n'a pas vraiment perdu puisque ce qu'il a perdu, la part féminine de son identité, ne valait pas la peine d'être conservé ; il y a enfin cette dernière compensation apportée par le fait que dans notre société il est, en tant qu'homme, intrinsèquement supérieur à la moitié de la race humaine, ou à tout le moins, pour ce qui est du stade où nous en sommes, à la moitié des êtres humains de *sa* race.

La combinaison de tous ces éléments contribue à le rendre, parfois avec ferveur, mais le plus souvent avec une certaine crainte, opposé à tout changement dans le tissu de croyances et postulats sociaux, coutumes et traditions qui pourraient affecter son rôle en tant qu'homme et, par conséquent, sa conception de la virilité, donc son identité profonde, les deux s'étant d'ailleurs forgées dans l'ordre inverse et sur la base de défenses psychologiques que les mêmes croyances et postulats sociaux, coutumes et traditions avaient délibérément favorisées et accentuées.

C'est à ce stade qu'il convient de poser la question clairement, sans équivoque possible et avec insistance : *que se passe-t-il pour la petite fille* ? Au démarrage elle a les mêmes liens affectifs. Son attachement à la mère est aussi réel et profond que celui vécu par son frère. Elle aussi aime sa mère, a besoin d'elle, dépend d'elle.

Et son sentiment d'identité est tout aussi inextricablement lié à cette mère. Où parle-t-on du traumatisme qu'elle subit ? Nulle part. On se contente de perpétuer une gigantesque contradiction. Après avoir concédé que la petite fille ne peut que partager avec le petit garçon ce puissant attachement à la mère, la psychanalyse fait bon marché de la réalité des émotions éprouvées par la petite fille au fur et à mesure qu'elle grandit, alors même qu'elle leur accorde la place prépondérante que l'on sait dans le cas des petits garçons.

La petite fille est censée pouvoir rompre allégrement et sans douleur avec cette fameuse dépendance affective, quand la même rupture est en principe considérée comme excessivement difficile à surmonter pour un petit garçon. Elle est théoriquement censée prendre conscience du fait qu'étant privée de pénis, elle est, par voie de conséquence, un garçon mutilé ; on suppose aussi que sur la lancée, elle va s'apercevoir que sa mère est également privée de pénis et en conclure que c'est elle qui lui a transmis cette infirmité ; la haine de soi qu'engendre sa propre mutilation, plus le rejet de la mère mutilée sont alors censés servir de catalyseur au transfert d'affection qui va s'opérer en faveur du père, détenteur du pénis tant désiré. Par la vertu d'un nouveau rebondissement des ressorts obscurs de son imagination, le désir de pénis se transforme en désir pour le produit dudit pénis, c'est-à-dire un enfant, et c'est seulement alors, dit-on, qu'elle finit par accepter son infirmité et développer la passivité qui sied si bien à une féminité adulte.

Comment les choses se passent-elles en réalité ? La tradition qui veut que l'on désire plus facilement un garçon qu'une fille fait que la charge affective du lien mère-fille semble souvent moins forte que celle du lien mère-fils. En effet, conditionnée par cette tradition qu'elle retourne contre sa propre fille, la mère a tendance à donner à la fillette tous les signes possibles et imaginables propres à lui faire comprendre qu'elle n'arrive qu'en seconde position dans l'ordre des choses. A quatre ou cinq ans, âge auquel les petits garçons annoncent allégrement que quand ils seront grands, ils épouseront leur mère, les petites filles savent déjà que, pour elles, il ne saurait être question d'une telle *mésalliance*. Comment réagissent-elles ? Pour les garçons, il s'agit d'un « échec monumental ». Qu'en est-il pour les filles ? Les garçons finalement ne font qu'ajourner cet amour et ce désir enfantin puisqu'ils finiront par retrouver ce qui n'aura constitué qu'une perte momentanée et que le schéma des relations impliquées en fait demeure inchangé. Pour les petites filles, il s'agit d'un bouleversement radical du schéma en question et les choses sont infiniment plus complexes car la résolution de l'épreuve ne peut se faire que sur un acte de foi, puisque ce qui a été perdu ne se retrouvera jamais. Comment la petite fille fait-elle face à une telle situation ? Comment surmonte-t-elle le sentiment de perte et d'abandon, cette atteinte à son moi profond, cette blessure portée à un amour-propre déjà bien fragile ? Comment vit-elle l'incertitude qui pèse sur la signification des relations qu'elle noue hors du schéma remis en cause par la dissolution du lien naturel ? Où sont-ils, les soutiens affectifs, la supériorité dûment accréditée par la société qui permettrait de nier la perte subie et les dérivatifs offerts au petit garçon au moment où eux émergent de leur complexe d'Œdipe après une crise au cours de laquelle leur première et fondamentale relation à un autre être humain se solde par un « échec monumental » ? Comment la petite fille peut-elle vivre l'agressivité qui naît de cette blessure affective ?

Encourage-t-on une petite fille à extérioriser son agressivité et la récompense-t-on quand elle y parvient ? Favorise-t-on, chez elle, les jeux brutaux, les manifestations d'indépendance, les prises d'initiative, le désir d'apprendre comment fonctionnent les choses, c'est-à-dire le fait de transformer son agressivité en tentative de domination de son petit environnement ?

Si elle a beaucoup de chance, et dans ce cas son père y sera pour beaucoup, oui. Si elle en a moins, elle se débrouille toute seule et contient difficilement sa révolte lorsque les autres lui reprochent de ne pas être féminine et de se conduire en garçon manqué au lieu d'être une « gentille petite fille ». Si elle est dans la norme, comme la moyenne des fillettes de son âge, elle a tendance à baisser les bras. La souffrance consécutive à la perte de la relation mère-fille est alors traitée par l'auto-répression qui, au niveau conscient, s'exprime par l'acceptation du rôle et de la place qui lui échoient comme légitimes. En tant que fille, elle compte nécessairement moins qu'un garçon. Inapte en beaucoup de domaines. Inadéquate.

Au seuil de l'adolescence, le réveil de la sexualité entraîne un réveil de la peur, du ressentiment et parfois de la haine, en rapport avec les toutes premières tentatives faites pour surmonter la perte de la relation à la mère. Il ne s'agit pas de la « dernière bataille pour la masculinité » revendiquée par Hélène Deutsch, mais, beaucoup trop souvent d'ailleurs, de la dernière bataille pour conquérir une identité au sens le plus authentique. Il faut entendre par là la quête de relations qui, par leur profondeur et leur force, peuvent définir plus précisément qui l'on est et affirmer ce que l'on peut et ce que l'on vaut. Il est entendu que la toute première relation, celle qui tisse le schéma fondamental de toutes les relations à venir, a été brisée au milieu de pressions diverses qui posèrent de strictes limites au développement d'une identité enracinée dans des notions de pouvoir et des valeurs révolues, celles-ci ayant, par essence, cantonné l'enfant dans un rôle laissant une moindre part à cette libre expression que l'on encourage chez son frère.

Dans leur travail de recherche sur la psychologie de la différence entre sexes, Eleanor Maccoby et Carol Jacklin illustrent bien la plupart de ces problèmes et proposent même une analyse plus approfondie que nous ne l'avons fait ici des différences d'appréciation que l'on observe entre les hommes et les femmes impliqués dans les carrières du management. Tout en faisant remarquer le peu de souci que l'on a de lier la différence de conception de l'ego entre les garçons et les filles à la formation des systèmes de défense de cet ego, elles citent des conclusions de recherches qui établissent clairement que les deux sont pourtant étonnamment et étroitement liés. Les garçons par exemple font de meilleurs scores que les filles dans le domaine du « mensonge » et de « l'art de rester sur la défensive », qualités-tests pour évaluer dans quelle mesure des individus évitent de jauger leur valeur propre en préférant se montrer sous leur meilleur jour. Les garçons livrent moins facilement que les filles leurs pensées et sentiments à leurs parents ou camarades et défendent leur ego en « évitant tout éventuel obstacle frustrant, réel ou supposé tel », alors que les filles reconnaissent plus facilement leurs torts. En d'autres termes, les garçons ont aisément recours à la dénégation.

Les garçons sont également portés à la fanfaronnade. Entre sept et onze ans, ils ont plus souvent tendance à « capter l'attention d'un éventuel public en se vantant ou en perpétrant des actes louables ou répréhensibles dans le seul but de devenir le centre de l'intérêt général ». De plus, les garçons croient plus en leur capacité de contrôler leur propre destin. Ce stéréotype traditionnel de la virilité vient confirmer cette fois de multiples façons, dont la moindre n'est pas le contenu effectif de l'enseignement. Une étude des manuels scolaires en usage dans les écoles élémentaires menée par la même C. Jacklin en 1973 révéla que « lorsque dans une histoire il arrive des choses agréables à un personnage masculin, ces issues heureuses sont présentées comme étant le résultat de ses actes. Les bonnes choses qui échoient aux personnages féminins (beaucoup moins nombreux au demeurant) sont dues à l'initiative des autres, ou bien sont le fruit d'une situation dans laquelle le personnage féminin en question s'est trouvé impliqué par hasard. Les garçons se croient plus forts, plus importants et plus puissants que les filles, ils surestiment systématiquement et considérablement leurs propres facultés de résistance. Chez eux l'art de voir le bon côté des choses ne fait que s'accentuer en grandissant. « En dépit de l'importance qu'ils accordent à leur image de marque — souci supposé être l'apanage des femmes —, les jeunes gens semblent ne pas " entendre " les commentaires insinuant qu'ils manquent de sensibilité, et leurs propres critères d'évaluation par rapport à la sensibilité en question sont à peine affectés par un *feedback négatif*... Si le système de filtrage sélectif typiquement masculin fonctionne relativement à grande échelle, on comprend mieux le pourquoi du sentiment de puissance qui anime les hommes plus que les femmes. »

A l'issue d'une série d'études dans le milieu étudiant, E. Maccoby et C. Jacklin ont pu mettre en évidence un « faisceau de particularités masculines », comprenant « plus de confiance en soi au moment d'entreprendre de nouvelles tâches, une opinion plus haute de sa propre puissance, avec le sentiment bien particulier que l'on détient le pouvoir d'agir de façon déterminante sur les événements dans lesquels on est personnellement impliqué ».

A côté de ces aspects, apparaissent d'autres tendances indiquant la prédisposition qu'ont les jeunes gens et les jeunes femmes à voir dans une réussite passée un présage de succès pour l'avenir. L'étude du comportement d'étudiants des deux sexes à l'université montre que les hommes croient plus facilement que les femmes à leur propre réussite, qu'ils jugent d'ailleurs leurs performances effectives avec plus d'optimisme et qu'ils s'attendent à un score au moins égal sinon meilleur pour les performances à venir. Les femmes dont les résultats aux examens étaient souvent plus concluants que leurs condisciples masculins avaient plutôt tendance à redouter une contre-performance par rapport à leur score passé.

La crainte, voire la certitude, de la perte et de la déception resurgit là de façon incontestable. Le système de défense qui consiste à les désamorcer en en prévoyant l'occurrence paralyse toute foi en ses propres capacités et freine inévitablement les prises d'initiative. Alors que la perte ou l'échec sont vus comme la conséquence de ses propres actes, il est tellement plus simple de ne pas vouloir arriver, de ne pas avoir à décider, de maintenir ses options indéfiniment ouvertes de façon à ce que rien ne soit jamais définitivement acquis. Une telle attitude débouche sur deux choses : rien n'est définitif, donc rien n'est irrémédiablement perdu, et comme rien n'est définitif, aucune action ne saurait être entreprise susceptible de mener à un échec, c'est-à-dire à une perte.

Il n'est pas étonnant non plus que l'une des différences entre filles et garçons constamment mises en évidence par les recherches menées par E. Maccoby et C. Jacklin induise que les filles sont plus promptes à se plier aux exigences imposées par des figures d'autorité telles que les parents ou les professeurs par exemple. Tout en cédant moins facilement à ce genre de pression, les garçons se montrent toutefois plus préoccupés par les luttes pour le pouvoir et la domination qu'ils se livrent entre eux.

Se posent alors un certain nombre de questions intéressantes. Les filles sont-elles plus dociles parce qu'elles ont plus peur ? Et s'il s'agit de peur, est-ce que cette peur ne trouve pas ses racines, pour les deux sexes, dans la perspective d'un amoindrissement du moi ? La perte affective de la mère constitue-t-elle le prototype de ce sentiment d'amoindrissement ? Les garçons sont-ils à la fois beaucoup mieux sécurisés psychologiquement (cette perte n'est pas définitive ; ce qui a été perdu sera reconquis à l'âge adulte) et soutenus par l'environnement social (la supériorité masculine et ses multiples manifestations servant de bénéfice compensatoire) que les filles dans leurs tentatives pour affronter cette première expérience de l'amoindrissement de leur moi ? En conséquence, les garçons se voient-ils beaucoup plus vivement encouragés que les filles à se construire des défenses qui leur permettent simultanément de nier le sentiment d'amoindrissement et de tenter d'établir une maîtrise de la situation ?

Au cours de leurs investigations, E. Maccoby et C. Jacklin découvrirent également que les garçons se montraient dans l'ensemble plus grégaires que les filles, si l'on considérait à la fois le nombre de leurs semblables avec lesquels ils entraient en relation et leur propre dépendance par rapport au groupe, aussi bien pour y puiser un système de valeurs qu'une source d'activités. Au cours de leur enfance et de leur adolescence, en groupes ou par équipes, les garçons se soutiennent mutuellement, se confirment réciproquement la place qu'ils occupent dans la hiérarchie de l'amitié et de la prédominance, ainsi que dans la recherche d'une libération des contraintes de l'autorité et de la surveillance exercées par les adultes. Plus indépendants par rapport à cette autorité des adultes, ils s'imposent une échelle des valeurs qui englobe la coopération et la compétition. Beaucoup plus que les filles ils se cherchent une identité au sein du groupe qui, en particulier avec les équipes sportives, offre des possibilités de réussite réelle ou par procuration, tandis que l'échec peut rester le plus souvent cantonné à une portion suffisamment congrue pour la rendre tolérable.

Tous ces problèmes constituent les avatars du processus de socialisation, c'est-à-dire le développement d'un individu de l'enfance à l'âge adulte dans une culture donnée dont le système de valeurs privilégie délibérément certaines choses auxquelles on peut avoir accès grâce à diverses règles et procédures spécialement conçues à cet effet.

Notre système à nous a toujours mis en avant la supériorité du mâle, nos lois ont donné corps à cet état de fait et elles commencent tout juste à évoluer à ce sujet. Les gens, hommes et femmes, ont accepté cette situation qui a contribué à définir les rôles, relations, et personnalités individuelles. Jusqu'aux différences entre les hommes et les femmes dans la façon de percevoir les choses du management, telles que nous les avons « étudiées », qui en découlent directement. Et pourtant, les seules différences intellectuelles correctement établies tendent à prouver que les filles sont dans l'ensemble plus habiles au niveau du maniement verbal, tandis que les garçons ont en général une meilleure perception spatio-temporelle. En conséquence de quoi règne la plus belle confusion quant à l'appréciation de leurs aptitudes respectives en mathématiques.

A un niveau bien différent, une troisième différence tend à établir scientifiquement chez les garçons une propension plus grande et fondée sur les données hormonales à l'agression physique. Il serait difficile d'exprimer plus clairement cette différence que ne l'ont fait E. Maccoby et C. Jacklin : « L'agressivité est peut-être le moyen le plus primaire par lequel les singes et les petits garçons établissent leur domination sur leurs semblables (encore que déjà à ce stade l'aptitude à conclure des alliances soit essentielle). Cependant, l'agression (physique) n'est sans doute pas la méthode la plus répandue pour atteindre les fonctions de commandement chez les êtres humains matures. »

C'est dans cette optique qu'il convient d'analyser et de comprendre les réponses au questionnaire, ainsi que les comportements et sensibilités des femmes managers que nous avons interrogées et avec qui nous avons travaillé. Les problèmes essentiels d'estime de soi, et des atteintes qui lui sont portées ainsi que de l'inaptitude à nier une douleur qui chez les hommes se voit compensée par d'autres avantages, surgissent du passé pour devenir chez beaucoup de femmes prises individuellement un aspect de la définition incontestée de ce qu'on appelle la « féminité ». Qu'on la ressente comme telle, ou qu'on se batte avec elle ou contre elle, cette féminité se métamorphose en désir de légitimité, de sécurité, de clarté, de certitude et de structuration. Jusqu'au style qui se voit ainsi déterminé. Longtemps auparavant ont été établies des limites à la libre expression de la personnalité imposées par des rôles précis, et le même schéma se répète : « Je ne peux pas faire cette chose parce que je ne l'ai jamais faite avant. » Ou bien : « Je ne peux pas le faire parce qu'aucune femme ne l'a jamais fait. »

Les chances d'échec sont ressenties comme excessivement élevées — avec un coût énorme la première fois — et par conséquent le risque encouru semble démesuré. L'agression dès lors se retourne contre soi et la seule réaction de défense consiste à la projeter sur l'environnement qui est alors perçu comme menaçant et hostile. On peut ressentir ce genre de choses. Ou pas. Le problème est justement de le savoir, et d'agir en conséquence.

En fonction de telles données, que faisons-nous ? Existe-t-il une réponse valable ou bien nous sommes-nous contentées de souligner la difficulté de deux traits rouges ?

La réponse repose, comme il se doit, sur la prise de conscience des femmes, au niveau individuel, de l'exact impact qu'ont sur elles toutes ou certaines de ces réalités, et, chose plus importante encore, pourquoi elles ont un tel impact. Ainsi se franchit le premier pas vers une distanciation par rapport à des postulats concernant le moi, postulats qui sont tellement vieux, durables et apparemment suffisamment vrais pour avoir résisté à l'épreuve du temps que l'on ne songe même plus à les remettre en question. Ils sont le résultat d'une réalité différente, créés qu'ils furent par l'impact d'une réalité affective appartenant à un passé révolu, mais que l'on recrée constamment dans la mesure où l'on croit a priori que c'est ce qu'il convient de faire. Comment évaluer ce qu'implique le fait de réussir à dire : « C'est ainsi que les choses se sont passées. C'est ainsi que je les ai ressenties. C'était bien ma manière de penser. Bien ma manière d'agir. Et je n'ai pas changé... mais je n'y avais encore jamais réfléchi. » Et savoir par anticipation que l'on continuera à sentir, penser et agir comme on l'a toujours fait, et puis prendre le temps de s'arrêter pour réfléchir à toutes les implications d'une telle attitude. Il y a mille questions à se poser pour mieux les mettre en évidence. Avez-vous une vue claire de ce que vous voulez faire ou bien réagissez-vous conformément à l'habitude acquise ?... Quelles sont les personnes qui comptent ? Comment vous voient-elles ? Comment se voient-elles elles-mêmes et surtout qu'espèrent-elles tirer, elles, de la situation ? Puis, et c'est peut-être la question essentielle : que voulez-vous, vous ? A long terme aussi bien que dans l'immédiat.

Dans la deuxième partie de cet ouvrage, nous allons nous intéresser précisément à un groupe de vingt-cinq femmes assez exceptionnelles travaillant au plus haut niveau du management et dont la force réside principalement dans leur aptitude à envisager le long terme et au fait qu'elles savaient clairement ce qu'elles voulaient. Nous verrons qu'elles sont toutes issues de milieux sortant des sentiers battus et qu'elles ont grandi dans des familles accordant une valeur prédominante à la notion de réussite au sens d'aptitude à mener à bien une entreprise. Cependant, si nous les suivons tout au long de leur vie, notre propos n'est pas de les ériger en modèles pour quiconque. Issues du milieu qui était le leur, elles ont commencé leur vie professionnelle à une époque qui était rien moins que banale et ont pu aborder les carrières du management pendant la seconde guerre mondiale, alors que beaucoup d'hommes se trouvaient Outre-Atlantique, ce qui laissait la voie singulièrement plus libre pour les femmes. Ce qu'il y a de fascinant et retient l'attention dans leur histoire concerne moins l'itinéraire global quelles ont pu suivre que les diverses composantes qui ont déterminé cet itinéraire. Pour des femmes qui se trouvent aux prises avec tous les problèmes inhérents aux carrières du management, leur expérience peut contribuer à définir réalistement des priorités et des ambitions. Faute de comprendre les priorités et ambitions en question, il n'est pas possible de décider si l'on entend les accepter, les refuser, s'appliquer à les modifier, les négocier ou en faire un usage circonstancié.

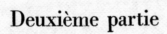

Deuxième partie

5. Vingt-cinq femmes qui ont réussi

Dans la première partie, nous avons cherché à mettre en évidence et expliciter une série de différences essentielles dans la façon dont les hommes et les femmes travaillant dans le management envisagent leur métier, leur carrière, l'entreprise qui les emploie et les gens avec qui ils travaillent. Nous avons vu que dans ce milieu les hommes font preuve d'une compréhension à la fois plus claire, plus nette et plus définitive des perspectives qui sont les leurs, de ce qu'ils auront à faire, la façon dont ils devront manœuvrer et les éléments dont ils doivent tenir compte s'ils veulent atteindre les objectifs qu'ils se sont fixés. A l'opposé, nous avons constaté chez les femmes une moindre propension, dans un environnement identique, à déployer ces qualités de perspicacité, de compréhension et de talents particuliers que les hommes ont eu tout loisir d'acquérir entre eux depuis l'enfance : une certaine tournure d'esprit dûment développée et socialisée, et qui confère aux hommes un avantage immédiat quand ils abordent les situations du management.

Nous avons vu que les femmes apportent un état d'esprit différent. Nous avons donc recherché des explications culturelles, sociales et surtout psychologiques à ces différences, et nous ne sommes que trop conscientes que de telles explications sont, en tant que telles, susceptibles de corroborer l'opinion répandue du : « C'est comme ça, il en a toujours été ainsi et il en ira toujours de même. » L'existence de différences est un fait connu et acquis. Le pourquoi de ces différences l'est également, partiellement du moins. Et nul n'ignore non plus qu'à cause d'elles, les hommes parviennent en beaucoup plus grand nombre que les femmes aux carrières du management qu'ils abordent mieux armés par rapport au milieu à affronter et infiniment plus motivés pour y réussir. Qui dira qu'il pourrait en être autrement et dans cette éventualité, comment cela serait-il envisageable ?

Autant de questions auxquelles la suite de ce livre tentera d'apporter une réponse. Pour commencer, nous allons analyser en détail le cas de vingt-cinq femmes qui à l'époque de nos recherches occupaient — et occupent toujours — avec succès des fonctions les plaçant au sommet de la hiérarchie dans le domaine des affaires ou de l'industrie américaines. Les mentalités et comportements communs à ce groupe de pionnières contrastent singulièrement avec ce que nous avons pu dire des femmes dans le management au cours de la première partie de ce livre. La vie de ces vingt-cinq femmes illustre de façon irréfutable la nécessité, pour beaucoup de femmes, de réfléchir sur les problèmes que nous avons soulevés tout au long de cette première partie. Il apparaît même, avec une criante évidence, que l'accès à de hautes responsabilités dans le management et la réussite dans de tels postes dépendent, pour beaucoup, de l'aptitude de chacune à résoudre les problèmes en question.

Dans la troisième partie, nous envisagerons l'avenir. La plupart des femmes n'accèdent pas à l'âge adulte armées comme les vingt-cinq dont nous avons suivi la carrière et ne sont pas forcément disposées à payer le prix acquitté par elles. Cependant, il n'en reste pas moins beaucoup de choses que les femmes peuvent faire pour devenir plus compétitives au niveau de l'environnement. Celles qui réussissent à en prendre conscience et agir en conséquence seront inévitablement amenées à modifier les croyances et préjugés des hommes pratiquant le management, et tous les postulats qui sous-tendent le rôle traditionnellement attribué à la femme au sein de la famille et de la société se verront tout aussi inéluctablement affectés.

Lorsque Margaret Hennig acheva son travail sur les vingt-cinq femmes sujets de son enquête, les chiffres du recensement pour 1970 n'étaient pas encore connus. C'est donc ceux de 1960 qui servirent de base pour définir le contexte dans lequel situer l'enquête et ces chiffres montraient que, aux Etats-Unis, sur le 1,2 million de personnes travaillant dans des emplois correspondant au niveau de cadre supérieur, directeur ou P.-D.G. avec des revenus annuels de 10 000 dollars ou plus, 25 000 étaient des femmes. Celles-ci représentaient donc approximativement 2 p. 100 de la catégorie considérée ! Sur ces 25 000 femmes, environ la moitié travaillaient dans la vente au détail, un quart dans des compagnies d'assurances et un peu moins de 3 000 dans des banques. Le reste, soit globalement 3 500 femmes, travaillaient dans toutes sortes d'autres secteurs.

Vingt-cinq femmes, qui occupaient toutes des postes de présidente ou de vice-présidente dans des entreprises de dimension nationale, ont apporté leur concours indispensable à ce travail de recherche. Par beaucoup de côtés, elles font figure de pionnières au sens classique du terme, non seulement à cause de ce qu'elles ont réussi à faire, mais aussi à cause des difficultés qu'elles ont surmontées et du prix qu'elles ont payé pour conquérir un nouveau territoire à leur usage personnel, certes, mais aussi en ouvrant une brèche qui demeurera inévitablement ouverte pour toutes les femmes.

Pour éviter toute personnalisation, la sélection de ces vingt-cinq femmes s'est faite avec le concours de trois experts en management et sur les critères suivants :

1. Avoir travaillé de façon continue et à plein temps dans des emplois dont la succession éventuelle semble obéir à la logique d'une carrière (sans avoir de parenté d'aucune sorte avec l'un des actionnaires ou des membres influents de l'entreprise concernée).
2. Occuper officiellement un poste de vice-présidente,

présidente ou directrice d'un organisme autonome ou d'un secteur important au sein d'une entreprise plus vaste.

3. Travailler pour une grande ou moyenne entreprise, opérationnelle dans son champ d'activité.
4. Assurer des fonctions qui semblent impliquer l'exercice d'une certaine autorité et probablement la direction d'une équipe comprenant des hommes.
5. Ne pas exercer dans des fonctions ou sur un secteur traditionnellement considérés comme féminins (cosmétiques, mode, etc.).

Ces critères ont permis d'établir un premier corpus d'environ une centaine de femmes qui ont toutes été contactées par lettre. Certaines se sont abstenues de répondre, d'autres ont refusé de coopérer à l'entreprise, quelques-unes ont dû être éliminées à cause de changements intervenus dans leur vie ou dans leur carrière et qui les disqualifiaient par rapport à un ou plusieurs des critères choisis, quelques-unes enfin avaient été retenues par erreur. Pour finir, il restait trente-cinq femmes disposées à participer et répondant aux impératifs prévus.

Neuf étaient présidentes ou directrices gérantes d'une entreprise, et les autres occupaient un poste de vice-présidente responsable d'un secteur de l'entreprise. Sur les trente-cinq, vingt-cinq se trouvaient fonctionner sur la côte Est tandis que les autres étaient disséminées à travers le pays. Finalement, les voyages incessants imposés par les interviews se révélèrent un obstacle insurmontable pour dépasser le cadre géographique de l'Est du pays et la sélection se limita donc aux vingt-cinq femmes résidant près de la côte Est.

En raison de la nature exploratrice du projet, il fut d'abord procédé à un premier tour d'horizon, préalable à tout contact direct avec le groupe des vingt-cinq sélectionnées. Les sujets de cette opération test furent les dix femmes éliminées pour des raisons d'éloignement géographique. Il leur fut demandé d'écrire sur tout ce qui leur semblait essentiel les concernant, elles et leur carrière. Elles furent interrogées sur ce qui, selon elles, avait le plus contribué à leur réussite, ce qui leur avait créé le plus de problèmes, et elles reçurent également une première version du questionnaire destiné aux vingt-cinq.

Une série d'entretiens successifs, dont certains durèrent jusqu'à trois heures et demie, fut alors réalisée auprès de chacune des vingt-cinq en question. L'entretien restait ouvert, étant entendu que l'interviewer se réservait éventuellement le droit d'intervenir pour que soient traités tous les sujets importants. Chaque femme rédigea une notice autobiographique la concernant, et à l'issue de tous les entretiens, un questionnaire fut utilisé pour vérifier des facteurs tels que l'âge, l'ordre de naissance, le contexte familial, l'éducation reçue, la description exacte et précise des emplois occupés et le rythme des promotions.

Ultérieurement, le même questionnaire fut adressé à trois autres groupes de femmes pour établir des parallèles avec le groupe étudié. Si tous les points de comparaison n'étaient pas directement pertinents, l'ensemble permit cependant de confirmer l'incidence élevée de certaines données relevées dans le contexte particulier des vingt-cinq [1].

Les groupes témoins furent constitués comme suit : 1. Vingt-cinq femmes sensiblement du même âge qui n'en étaient qu'aux premiers échelons du management ; 2. Vingt-cinq femmes diplômées de la Harvard Business School ; 3. Vingt-cinq étudiantes en dernière année du Simmons College, section : administration des entreprises.

Pour terminer, un dernier groupe de vingt-cinq femmes sélectionnées pour une similitude à peu près parfaite avec le groupe de référence au niveau du contexte social,

---

1. A titre d'exemple, les vingt-cinq femmes du groupe étudié étaient les aînées de leur famille. Or, la plupart des femmes interrogées dans les groupes témoins étaient également des premières-nées.

de l'éducation reçue et de l'expérience professionnelle dans les premiers échelons du management, à cette différence près qu'elles avaient renoncé à leur carrière à ce stade précis, fut interrogé sur les raisons qui les avaient incitées à agir de la sorte. Le but recherché était de mettre en évidence d'éventuelles différences significatives entre ces femmes et celles de notre corpus, au niveau de l'enfance, des études et des débuts professionnels. Si de telles différences apparaissaient effectivement, elles pourraient contribuer à expliquer pourquoi les vingt-cinq autres avaient réussi à poursuivre leur carrière au-delà de ce stade.

Les résultats de l'enquête menée auprès des vingt-cinq femmes constituant notre corpus permettaient une division en cinq grandes périodes : 1. L'enfance ; 2. L'adolescence ; 3. Les années d'université ; 4. Les dix premières années de carrière ; 5. La maturité professionnelle.

La raison d'être d'une telle classification est relativement évidente. Les événements et expériences vécus au cours de l'enfance et de l'adolescence jouent un rôle essentiel et durable dans la vie adulte d'un individu. Pour vingt-cinq femmes qui assurent des fonctions élevées dans ce qui demeure un univers d'hommes, ces périodes sont particulièrement importantes parce que c'est à cette époque-là qu'interviennent les processus d'identification masculine ou féminine ainsi que le choix des modèles.

Les années d'université et la première décennie de vie professionnelle ont été retenues comme unités homogènes dans la mesure où des recherches récentes, menées par Rosalind Chait Barnett, tendent à prouver que les choix effectués pendant la période universitaire sont constamment remis en cause et éprouvés au cours des premières années de vie professionnelle.

Nous avons enfin retenu la dernière période, celle de la maturité, parce que les résultats du premier tour d'horizon effectué auprès des dix femmes qui participèrent à l'étalonnage de l'enquête révélaient — au niveau des préoccupations, de l'idée qu'elles se faisaient d'elles-mêmes, de l'idéal proclamé et du style de comportement apparemment adopté — d'importantes différences entre ce groupe et celui des diplômées de Harvard ou celui des femmes travaillant dans les premiers échelons du management sur lesquelles nous nous sommes également penchées.

Passé le cap des dix premières années de vie professionnelle, il semble que quelque chose soit arrivé à ces femmes qui les ait amenées à changer radicalement. Ce qui est arrivé, pourquoi et quand, constitue autant de questions auxquelles l'étude des vingt-cinq cas considérés devait permettre de répondre.

Le travail d'exploitation des résultats fut mené de façon simple et directe. L'enfance des vingt-cinq femmes étudiées fut d'abord analysée dans l'optique la plus ouverte possible. Le chercheur s'attachait essentiellement à trouver des éléments communs susceptibles d'être intervenus au cours de ces premières années, le caractère commun d'une première expérience étant supposé pouvoir éclairer éventuellement les raisons qui avaient poussé ces femmes à choisir les carrières qu'elles avaient choisies et contribué au succès qu'elles y avaient rencontré. Le même état d'esprit se retrouva dans l'étude de l'adolescence et presque jusqu'au moment du choix et du démarrage d'une carrière. A ce stade, le chercheur tenta de cerner comment et pourquoi ces femmes en vinrent à décider de faire une carrière dans le management, d'analyser les modalités d'un tel choix et de voir comment les premières expériences s'articulaient éventuellement sur ce choix et sur ces modalités. Etait également en jeu la compréhension de l'image qu'elles avaient d'elles-mêmes, de leur idéal de vie et, plus tard, du style de comportement qu'elles adoptaient en fonction de la façon dont elles se percevaient, elles et le rôle qu'elles jouaient dans leur milieu professionnel.

Les notions d'image de soi et d'idéal de vie sont à prendre au sens le plus immédiat. Dans le premier cas il s'agit de la représentation qu'une personne se fait d'elle-même à un moment donné : qui elle est et ce qu'elle vaut. Dans le second, l'idéal de vie réfère à un devenir souhaité, espéré : ce qu'elle espère faire dans un futur plus ou moins proche. La raison d'être et l'utilité de ce genre d'idéal est qu'il fournit des buts vers quoi orienter ses efforts. Ainsi qu'il en va de tout idéal, ces buts ne sont pas plutôt atteints qu'ils tendent à reculer dans le temps pour se situer à un degré de difficulté encore plus grand et tout est à recommencer. D'autre part, en acquérant progressivement plus de maturité, les gens deviennent de plus en plus réalistes et les idéaux qu'ils se fixent relèvent beaucoup moins de leurs fantasmes que d'un indéniable esprit pratique.

Pour bien cerner la réalité vécue par une femme cadre dans une entreprise, il est essentiel de ne pas mésestimer les choix sociaux et culturels qu'elle doit nécessairement assumer au niveau de son travail et, dans la carrière des vingt-cinq femmes que nous avons étudiées, deux tournants déterminants ont été marqués par un choix crucial pour leur carrière. Le premier concernait la recherche et l'obtention d'un emploi ; le second, le fait de s'y maintenir et de le bien maîtriser. Nos vingt-cinq femmes ont, tout au long de leur vie professionnelle, été confrontées à ce genre de choix auquel il leur a bien fallu s'adapter, mais ces deux tournants ont eu une incidence indéniablement plus forte que les autres. Le schéma ci-dessous représente la façon dont elles auraient pu régler ces problèmes de choix et d'orientation.

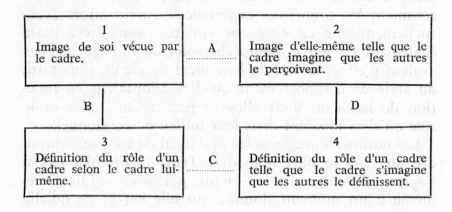

Ces quatre notions sont toutes étroitement liées, mais les relations indiquées par les lettres A, B, C et D sont particulièrement importantes. Pour les hommes, la relation A serait fondamentale et la présence de discordances au niveau de la relation B serait dommageable à tout le monde. De la même façon, l'existence de dissonances dans la relation C pourrait créer des problèmes pour les hommes comme pour les femmes, dans leurs rapports de travail avec les autres.

Au niveau de ces trois relations, les chances relatives de pouvoir tirer un bilan positif ou plutôt négatif de ces confrontations sont approximativement les mêmes pour une femme que pour son homologue masculin. Néanmoins, l'éventualité de difficultés surgissant dans la relation C, pour la simple et unique raison qu'il s'agit d'une femme, n'est pas à exclure, et ce genre de problèmes pourraient devenir patents dans la relation D.

En effet, c'est précisément au niveau de l'adéquation entre l'idée que les autres se font d'une femme donnée et leur conception du rôle d'un cadre en général que la femme en question risque de perdre son individualité pour devenir *n'importe quelle femme*. Dans la mesure où la position de cadre est perçue par beaucoup de gens (hommes et femmes) comme un domaine exclusivement masculin, peu importe la personnalité propre de la femme intéressée, elle est considérée d'abord et avant tout comme une femme. En conséquence de quoi, et dans beaucoup trop de cas, ces questions fondamentales d'identité font qu'il y a fort peu d'harmonie perçue entre la femme et la position de cadre.

C'est un problème auquel les hommes ne sont jamais confrontés. Car si un homme peut être amené à sentir que les autres ne voient malheureusement pas en lui la personne adéquate pour un travail donné, en aucun cas il ne se trouve placé devant le dilemme suivant : il n'est pas la personne adéquate parce qu'il est un homme. Elle, au contraire, s'est souvent trouvée n'être « pas la personne adéquate pour le poste » simplement parce qu'elle était une femme, et nul ne s'est jamais vraiment soucié d'évaluer le coup porté au capital confiance en soi par ce type d'expérience négative imposée à la femme. Qui est-elle en vérité ? Par exemple, si au niveau de la relation A, l'accord n'est pas parfait entre l'idée qu'une femme cadre se fait d'elle-même et la façon dont elle a l'impression que les autres la perçoivent, ce genre de discordance doit inéluctablement être génératrice de contrariété, d'inquiétude, d'angoisse. Son assurance en pâtit nettement. Peut-être n'est-elle pas exactement celle qu'elle croit être puisque les autres ne la voient pas sous ce jour. Au niveau de la relation B — l'idée que la femme cadre se fait d'elle-même par rapport à la façon dont elle envisage le rôle d'un cadre —, l'existence d'une certaine harmonie contribue à lui donner confiance quant à ses aptitudes pour l'emploi considéré. L'absence d'harmonie au contraire entame non seulement ce capital confiance mais aussi l'idéal de vie qu'elle cherche à mettre en œuvre. Peut-être ce travail est-il un travail d'homme. Peut-être a-t-elle eu tort d'y songer pour elle. Peut-être devrait-elle revoir ses objectifs, ses ambitions et ses aspirations en fonction de critères plus adaptés. L'image d'elle-même réussissant une belle carrière de cadre supérieur s'en trouve singulièrement écornée si elle n'est pas définitivement jetée aux oubliettes.

Ce problème, classique et fondamental pour les femmes impliquées dans une entreprise, gagnerait probablement en clarté avec une illustration concrète. Supposons donc qu'une certaine Jane Smith se fasse une idée relativement claire d'elle-même et de ses capacités. Elle sait ce que les autres pensent effectivement d'elle, et se trouve confortée par leur opinion. Un poste dans le management vient à se libérer et elle estime que l'occasion pourrait être belle pour elle. Elle a les capacités requises pour ce travail et elle a envie de le faire. Ce qu'elle sait d'elle-même en fait une personne pouvant convenir pour le poste. Elle discute des exigences attachées au poste en question avec un certain nombre de ses collègues et constate une relative convergence de vues entre elle et eux au niveau de sa personne comme à celui du travail. Elle a maintenant le sentiment définitif qu'elle est capable d'assumer un tel poste qui lui apportera satisfactions et gratifications diverses en même temps qu'une promotion importante pour le cours de sa carrière. Elle décide donc de postuler. Et s'entend dire que sa candidature ne sera même pas examinée. Comment réagit-elle ? Sa marge de manœuvre semble singulièrement réduite.

Et pourtant, il existe aux Etats-Unis un petit nombre de femmes cadres qui ont réussi une carrière brillante, parmi lesquelles figure notre petit groupe de vingt-cinq. Comment ont-elles pu résoudre ce problème et ceux qui le sous-tendent ? Qu'ont-elles fait pour arriver à un changement de conjoncture ? Qu'elles aient dû agir d'une façon ou d'une autre relève de l'évidence, car si l'on ne parvient pas à un minimum d'harmonie entre l'idée que l'on se fait de la façon dont on est perçu par les autres d'une part, et le rôle que l'on joue d'autre part, il est très difficile d'aboutir à un succès tangible.

Ces questions devraient constituer une clef fondamentale pour la compréhension de la réussite de nos vingt-cinq femmes, et fournir la justification rationnelle de notre choix d'enraciner cette étude dans l'optique qui est celle de la femme cadre plutôt que d'opter pour une autre méthode d'approche qui aurait éventuellement permis d'obtenir un compte rendu moins orienté de la réalité. Pour une femme cadre qui veut réussir, il peut être nécessaire de trouver une harmonie dans toutes les relations considérées, même si, pour d'autres, cette harmonie n'a pas d'existence réelle.

Le problème du style de comportement arrive alors tout naturellement sur le devant de la sellette. Encore une fois, ce terme sera à prendre dans son acception la plus simple. Il s'agit du comportement dans le contexte du travail, et il semble avoir joué un rôle dans la réussite de ces femmes cadres. Les études sur le comportement des cadres masculins ont montré que les présidents de sociétés et autres vice-présidents consacraient, d'une façon ou d'une autre, entre les deux tiers et les trois quarts de leur temps à des relations inter-personnes. Ils sont d'ailleurs en relation directe avec cinq catégories de gens : des patrons, leurs homologues, des assistants, les autres travailleurs et les clients ; et ce, en plus de tous les « autres », ceux qui interviennent dans leur vie professionnelle ou privée. Dans la mesure où il peut être crucial pour une femme d'amener les autres à accepter, dans ce qu'ils considèrent comme un domaine exclusivement masculin, « n'importe quelle femme », quelles que soient ses qualités et même si elles sont supérieures aux leurs, le style de comportement devient un facteur encore plus déterminant pour les femmes qu'il ne l'est pour les hommes.

Le style de comportement d'un individu donné dépasse bien sûr le cadre strict de ce qu'il fait effectivement. Il évoque plutôt une tendance générale se dégageant de la façon de se comporter et de réagir d'une personne donnée, placée dans des conditions et soumises à des stimuli déterminés. Par exemple, les réactions types des hommes et des femmes travaillant dans le management, telles que nous avons eu l'occasion de les discuter dans la première partie, laissent entrevoir des images très différentes selon les personnes concernées. Si nous traduisons les réactions masculines en terme de style de comportement, nous obtenons l'image d'individus ayant une idée plus claire des objectifs qu'ils veulent atteindre ; ils semblent d'autre part avoir une meilleure compréhension des structures de fonctionnement, formelles ou pas, de leur entreprise et paraissent plus prêts à payer le prix nécessaire à une belle réussite professionnelle ; et surtout, ils donnent l'impression de vivre en meilleure harmonie avec le monde du management. Si nous songeons un instant aux réponses fournies par les femmes, l'image dominante est sensiblement différente. Les idées sont indiscutablement moins claires, et elles n'arborent pas la même assurance par rapport à l'environnement.

Chaque individu répond en fonction d'aspirations à la fois conscientes et inconscientes et pour peu qu'il n'y ait pas une parfaite adéquation entre ces deux ordres, et que personne ne cherche à mettre en évidence les éventuelles divergences afin de les surmonter, la situation risque fort de devenir conflictuelle. Dans ce cas, le style de comportement de l'individu concerné tend à une certaine rigidité qui n'est que la réponse censée masquer l'angoisse sous-jacente suscitée par le conflit existant. Il ou elle répond alors beaucoup moins aux exigences d'une situation donnée qu'à des pressions intérieures pour obéir à des règles de comportement figées. Cette remarque ne prétend pas insinuer que les individus ne se créent pas leur style propre, durable et personnel. Ils le font effectivement. Mais tout l'art de savoir quel style d'attitude adopter réside justement dans l'aptitude à ajuster son style propre pour l'adapter aux exigences d'une situation particulière.

Les problèmes à analyser chez les vingt-cinq femmes de notre groupe étaient donc : le caractère commun de leur expérience ; le processus d'orientation et le choix d'une carrière ; l'image de soi et l'idéal de vie ; le style de comportement adopté par ces femmes dans leur volonté de surmonter l'écueil supplémentaire de l'héritage socio-culturel dans le contexte du management.

En tant que groupe, ces femmes étaient objectivement « différentes » des autres et l'opinion la plus répandue veut que ce genre de différence soit répulsive. En général, l'image stéréotypée de la femme-chef la présente comme un être dépourvu de féminité : elle est censée se montrer agressive, masculine, dure, froide et peu séduisante pour les messieurs. Dans cette optique, on en vient facilement à accepter comme une évidence qu'une femme qui réussit sa vie de femme ne saurait faire un bon chef et, à contrario, qu'une femme qui réussit une carrière de chef ne saurait avoir de succès en tant que femme. Nombre d'hommes, et de femmes, croient implicitement à ce théorème. Il existe une autre opinion largement répandue selon laquelle les femmes seraient biologiquement inaptes aux fonctions de commandement et cette croyance sous-entend clairement qu'une femme qui réussit dans de telles fonctions ne peut qu'être affligée d'une féminité biologiquement déficiente. Et ce postulat est implicitement et largement admis chez les hommes comme chez les femmes. Il reste que d'une façon ou de l'autre toute déviation par rapport à la norme est reçue négativement.

Or, il ne fait aucun doute que les vingt-cinq femmes de notre groupe sont effectivement différentes. Différentes de la moyenne des femmes américaines choisies dans n'importe quelle tranche de population. Néanmoins, plutôt que d'accepter des stéréotypes, postulats et autres jugements qui s'ensuivraient sur la signification et la valeur éventuelles de ces différences, il est certainement plus intéressant et utile de définir clairement la nature de ces différences, la façon dont elles se forment et si elles ont ou non aidé ces femmes à vivre une vie qu'elles s'accordent à trouver satisfaisante et gratifiante.

Notre recherche commença par tenter de trouver des réponses à un certain nombre de questions.

A chaque époque de leur vie, des relations essentielles ont dû se nouer, des événements déterminants ont dû survenir et des problèmes cruciaux surgir et être résolus par ces femmes. Qu'étaient-elles et comment furent-elles traitées au cours de leur enfance, de leur adolescence, de leur vie étudiante, au début de leur vie professionnelle et pendant leur maturité ? Comment les relations, événements et autres problèmes cruciaux qui ont surgi aux différentes étapes de leur vie ont-ils affecté les étapes suivantes ? Dans quelle mesure les expériences vécues à un moment donné de leur vie ont-elles influencé le déroulement général de leur carrière ? Quels principes essentiels, s'il en existe, les animent toutes et comment s'articulent-ils sur le développement de leur personnalité propre ?

S'étant appuyées au départ sur les conclusions de travaux antérieurs aux nôtres, nos recherches se sont aventurées sur un terrain relativement neuf.

« Il y a plusieurs années, nous avions la conviction qu'une théorie distincte sur le déroulement de la carrière était nécessaire selon qu'on parlait d'hommes ou de femmes... Aujourd'hui, nous en sommes venues à penser que la façon dont une femme assure sa fonction sexuelle est déterminante pour sa carrière. » (D.V. Tiedeman et R.P. O'Hara, dans une étude datant de 1963 sur le *Déroulement d'une carrière, choix et adaptation.*)

« La plupart des recherches concernant les données psychologiques en matière d'emploi, par exemple, sont basées sur les hommes, et si par hasard l'on s'intéresse aux femmes, ce qui est fort rare, c'est pour mettre en relief ce qui les différencie des hommes. » (E.C. Lewis dans une étude de 1968 sur *Le Potentiel féminin en matière d'emploi.*)

Pour ce qui concerne notre étude, ce sont les autres femmes qui constituaient la norme, et non les hommes, et l'une des questions principales était de savoir pourquoi et comment ces vingt-cinq femmes avaient été capables d'atteindre des postes de haute responsabilité à une époque où il n'existait aucune pression sociale ou légale susceptible de les y aider. Qu'y avait-il dans leur personnalité en tant qu'individus, dans leur expérience, dans leur comportement et dans les divers environnements au sein desquels elles avaient vécu, qui devait leur permettre de réussir dans un milieu qui, à leur époque plus encore que maintenant, constituait un « monde d'homme » ? Qu'y ont-elles gagné personnellement, et quelles ont été les inévitables pertes ?

Notre conviction de base fut que leur propre version de l'expérience qu'elles avaient vécue serait la meilleure source d'explication pour les problèmes soulevés.

Notre objectif fondamental était de partir de leur réalité à elles pour découvrir une signification qui nous amènerait à une meilleure compréhension générale du vaste problème que constitue le déroulement d'une carrière pour les femmes.

6. L'enfance

Dans leur étude portant sur les étudiantes en dernière année de la Harvard Business School au cours de l'année universitaire 1963-1964, Margaret Hennig et Barbara Hackman ont pu mettre à jour une nette constante dans l'histoire familiale de leurs sujets : sur les vingt-cinq jeunes femmes étudiées, vingt étaient des aînées ou des filles uniques ; les cinq autres, qui n'étaient pas premières, nées, avaient cependant eu, à y regarder de plus près, une enfance tout à fait comparable à celle que peuvent vivre bien des familles. Il y avait à cela un certain nombre de raisons : décès d'un grand frère ou d'une grande sœur, grande différence d'âge entre l'aîné et la cadette, ou encore changements intervenus dans la famille à la suite d'un divorce par exemple, et qui propulsait l'enfant le plus jeune dans la situation de l'enfant unique. Toutes avaient eu des relations extrêmement étroites avec leur père en compagnie duquel elles avaient eu accès à toutes sortes d'activités inhabituelles pour une fillette, dans la mesure où la tradition en faisait des occupations essentiellement masculines, et ce dès leur plus jeune âge. Elles estimaient avoir reçu un soutien exceptionnel de leurs familles respectives qui les avaient laissées à leur gré suivre leurs propres centres d'intérêts sans s'occuper de savoir s'ils étaient ou non féminins. Finalement, elles pensaient avoir très tôt préféré la compagnie des hommes à celle des femmes. Ces conclusions préfiguraient par de nombreux aspects ce que devait révéler l'étude de nos vingt-cinq femmes.

Les vingt-cinq femmes interrogées par Margaret Hennig dans le cadre de notre étude sont toutes nées aux Etats-Unis entre 1910 et 1915. Toutes sont des premières-nées et chacune était destinée à rester fille unique ou être l'aînée d'une famille ne comprenant que des filles et ne dépassant pas trois enfants.

Toutes appartiennent à des familles de la petite ou moyenne bourgeoisie, aspirant à gravir les échelons de la hiérarchie sociale et vivant sur la côte Est des Etats-Unis, ou à proximité. Vingt-deux pères sur vingt-cinq étaient dans les affaires où ils occupaient des fonctions dans le management. Les trois autres étaient dans l'administration universitaire. Vingt-quatre mères sur vingt-cinq étaient des femmes au foyer. La vingt-cinquième était professeur. D'autre part, le niveau d'instruction de vingt-trois mères était au moins égal à celui de leur mari et dans treize cas, il était même nettement supérieur. Le degré d'instruction des parents, pris globalement, allait du baccalauréat au doctorat d'université, diplôme détenu par deux des pères. Par ailleurs, ces femmes et leurs parents étaient tous de race blanche (souche européenne) et Américains de naissance mais sans que l'on puisse déterminer de caractère dominant au niveau des options religieuses ou de l'héritage ethnique.

Bien qu'à chaque fois nous ayons eu affaire à des premières nées, cette belle constante ne se serait peut-être pas vérifiée si nous avions eu à notre disposition une population plus importante et un corpus plus conséquent. Aussi serait-il probablement plus juste, et à coup sûr plus intéressant, d'envisager la dynamique des comportements attachés aux premières expériences de l'enfant premier-né comme un phénomène « particulier », plutôt que d'en faire l'apanage exclusif de l'enfance vécue par les aînés de famille. Un enfant peut être ou ne pas être le premier-né, ce qui semble essentiel c'est de déterminer si il/elle reçoit le traitement particulier traditionnellement réservé à un premier-né, car c'est précisément cette particularisation qui pèse le plus lourd dans la façon dont est vécue l'expérience de l'enfance.

Nos vingt-cinq femmes ont toutes gardé le souvenir d'une enfance heureuse. Elles ont été intarissables sur la chaleur des relations qui les liaient étroitement à leurs parents aux yeux desquels toutes ont le sentiment d'avoir toujours représenté, et depuis le début, quelque chose d'essentiel et de particulier. Toutes ont été enfant unique pendant les deux premières années de leur vie au minimum, et celles qui sont devenues des aînées n'ont eu que des sœurs et jamais plus de deux.

Dans la description qu'elles donnent de leurs premières relations avec leurs parents, le père, tel qu'il apparaît dans leurs souvenirs, constitue une expérience d'une communauté frappante.

L'une d'elles raconte :

« D'aussi loin que je me rappelle, Maman a toujours été Maman, celle qui veillait constamment sur moi tout en m'encourageant. Elle a toujours été le havre où je pouvais me réfugier quand j'avais des ennuis, et pourtant elle avait des principes assez stricts et ne m'a jamais laissée faire n'importe quoi. Lorsque j'y repense, Papa n'était vraiment pas comme tout le monde. D'aussi loin que je me souvienne, j'ai toujours été la fille chérie de mon père. Il y avait des moments réservés que nous passions ensemble, rien que tous les deux. J'étais toute jeune, qu'il m'emmenait déjà avec lui le samedi après-midi. C'était quelqu'un de très actif et j'ai toujours été censée m'activer avec lui. L'hiver, nous allions faire de la luge et du patin à glace. J'avais quatre ans lorsqu'il m'a appris à patiner et il avait pris l'habitude de m'exhiber devant tous les amis qui avaient des garçons plus vieux que moi. " Tenez, disait-il, vous vous dites peut-être que ce n'est qu'une fille, mais regardez-la si elle ne les bat pas à plate couture, tous vos garçons ! " J'aimais beaucoup ces parties de patinage ; après, nous allions boire un chocolat chaud à la buvette et là encore il plastronnait et vantait mes mérites au pharmacien ou à quiconque voulait bien l'écouter. »

Une autre se rappelle :

« Mon père travaillait dans les chemins de fer et alors que j'étais toute petite il dirigeait et supervisait les travaux de construction de je ne sais plus quelle voie ferrée en Pennsylvanie. Souvent, il était appelé pendant le week-end et il m'emmenait avec lui. Je suis sûrement la seule femme vivante à avoir parcouru à pied une voie de chemin de fer en construction à l'âge de cinq ans ! Quelquefois, nous parcourions ainsi plusieurs kilomètres, nous arrêtant çà et là pour dire un mot aux équipes d'ouvriers. D'autres fois, nous empruntions le train de service. L'atmosphère y était toujours chaude et enfumée, imprégnée de la sueur et de la crasse des hommes. J'adorais ces moments-là ; tous les hommes me connaissaient et me parlaient. Mon père était très fier de moi et plaisantait souvent avec eux en disant que je serais la première femme conducteur de locomotive. Tout le monde riait, et puis il devenait très sérieux et disait qu'il ne savait pas ce que je ferais exactement mais que, puisque je lui ressemblais, je ferais sûrement des choses extraordinaires et formidables. »

Une autre encore :

« Je crois que mon père avait toujours eu envie d'avoir un fils, mais qu'entre-temps il m'a choisie pour tenir ce rôle. C'est seulement quand j'ai été plus vieille que je me suis rendu compte que toutes les petites filles ne faisaient pas les mêmes choses que moi avec leur père. Il y avait deux sujets qui fascinaient mon père : les questions financières et le sport. J'étais déjà initiée aux deux avant même d'aller à l'école. Papa me lisait toujours la chronique financière dans le journal et se donnait le plus grand mal pour m'expliquer. Je ne savais même pas de quoi il parlait, mais le sujet le passionnait et moi je m'en rendais compte et j'ai toujours su qu'un jour je comprendrais. Il a fait de moi une fanatique de sports. Ma mère n'avait rien d'une grande sportive, alors Papa a fait de moi sa partenaire attitrée. Je suis allée à mon premier match de boxe avant d'aller en classe. Nous allions ensemble à la pêche et je me souviens que je dormais dans le cabanon. A part moi, il n'y avait que des hommes. Je suppose qu'ils s'accordaient à trouver Papa un peu bizarre mais cela n'a jamais eu l'air de le contrarier. Il m'appelait toujours " gamin ", et je n'ai compris que plus tard ce que signifiait ce mot. Nous étions très proches l'un de l'autre. »

La substance de ces propos que nous avons retrouvée chez toutes les femmes interrogées indique une relation très particulière entre les fillettes et leur père. Père et fille ont partagé des intérêts et des activités qui sont traditionnellement considérés comme l'apanage de relations père-fils : activités physiques, acquisitions de talents non domestiques, volonté agressive de réussir et de rivaliser. Bien souvent l'approbation paternelle était fonction de l'aptitude de la fillette à gagner ou à réussir. Cependant, les choses se passaient de telle façon que le moyen d'obtenir cette approbation restait aussi agréable que le but recherché et en fin de compte la gratification se trouvait dans l'engagement physique et dans les progrès accomplis.

Une femme rapporte :

« Il est curieux qu'encore maintenant je trouve un plaisir certain dans les activités et compétitions physiques en tout genre. Je crois que cela remonte à l'époque où je pratiquais le tennis avec mon père. C'est lui qui m'a enseigné ce sport quand j'étais toute jeune et il m'a toujours dit que lorsque je mettais les pieds sur un court, je devais jouer pour gagner, c'était ça le jeu : gagner. L'une des sensations les plus excitantes que je connaisse est de se dépenser à fond, pour gagner, jusqu'aux limites de l'épuisement et là, à la dernière seconde qui précède l'effondrement, juste au moment où l'on va perdre espoir, gagner. »

La relation père-fille a fourni à l'enfance de ces femmes une autre dimension. Elles y ont gagné de l'attention, une approbation, une gratification, une confirmation. Plus une source supplémentaire d'apprentissage précoce, des occasions d'accroître très jeunes leur champ d'expérience et, à travers cette relation, elles ont trouvé un modèle auquel elles ont pu commencer à s'identifier. Si elles se réfèrent rarement à leur père comme influence ayant marqué leur évolution en tant que fille, elles le citent toujours comme ayant joué un rôle important dans leur définition en tant que personne. Pour leurs pères, elles étaient des filles, mais des filles capables de faire beaucoup plus que ne font la moyenne des filles.

Leurs souvenirs concernant leur mère sont beaucoup moins détaillés et la relation mère-fille n'en est que plus difficile à saisir et à définir. Le passage suivant est symptomatique de cette impression :

« La seule façon dont je puisse vraiment m'interroger sur une éventuelle particularité dans les relations que j'ai eues avec ma mère au cours de ma petite enfance, c'est de me demander si j'ai jamais fait avec elle quoi que ce soit de spécial, de différent. Je dirais que notre relation mère-fille était dans la norme. Maman s'est toujours bien occupée de moi, physiquement et psychologiquement. Elle a toujours pensé qu'il était très important pour moi d'apprendre toutes les bonnes manières féminines. J'étais une très jolie petite fille qui semblait toujours prête à faire plaisir à sa maman. Je pense qu'il lui arrivait de s'irriter de voir mon père m'inciter à l'indépendance et à la combativité, surtout lorsque j'étais toute petite, mais elle n'en a jamais fait une histoire. Je suppose qu'elle acceptait pour lui faire plaisir. Papa et Maman avaient un exceptionnel respect l'un pour l'autre. Je crois qu'ils partageaient tant d'ambitions à mon sujet, qu'ils s'imaginaient que plus ils en faisaient pour moi, chacun de leur côté, plus ils augmentaient mes chances de réussite dans la vie. »

En fait, ce passage éclaire beaucoup plus la relation père-mère que la relation mère-fille sur laquelle il était censé nous donner des lumières. Les vingt-cinq ont la même tendance à faire dévier la conversation dès qu'il était question de leur mère. Elles insistaient à l'envi sur le fait que leurs parents partageaient tellement bien les mêmes ambitions pour leur fille qu'aucun des deux ne se faisait une obligation de rivaliser avec l'autre pour gagner la petite fille à un point de vue donné. Elles disaient que leurs parents étaient animés d'un grand respect pour eux-mêmes et pour l'autre et qu'ils soutenaient et encourageaient leur enfant à développer ses qualités et capacités propres.

Toutefois, le problème n'en était pas résolu pour autant : il demeurait que les souvenirs de ces femmes concernant la relation mère-fille telle qu'elles l'avaient vécue restait dans le vague et les généralités. Elles rapportaient systématiquement que leur mère avait été une mère « typique » au point qu'il devint urgent de savoir exactement ce que ce « typique » recouvrait. Pour nos vingt-cinq femmes, cela signifiait clairement que leur mère avait fait les choses typiques que doit faire une bonne mère. L'une d'elles s'exprime ainsi : « Ma mère était douce, chaleureuse, papillonnante ; rien de très excitant, tandis que mon père était d'un dynamisme à toute épreuve, le personnage charismatique par excellence. » D'une façon générale, la mère apparaissait comme une personne plutôt tranquille qui usait de son influence de temps à autre, mais qui finissait habituellement par céder aux vues de son mari. Elles croyaient que leurs parents se voyaient réciproquement de la même façon.

Pour chacune de ces femmes, cette mère « typique » a servi de modèle féminin doux et attentionné, conforme à ce que souhaite la société, modèle qu'elles avaient en commun avec les autres fillettes, tandis que leur père les encourageait et les confirmait dans l'idée que ce modèle ne représentait pas un type de comportement unique et contraignant mais était matière de choix et d'option personnelle, et que la répartition même des rôles pouvait facilement être revue et corrigée. De diverses et multiples façons, leur père a ouvert pour elles un monde nouveau, un monde qui remplaçait et compensait celui qu'elles avaient définitivement perdu lorsque s'était dissous le premier lien à la mère, un monde qui les mettait à l'abri de devoir jamais accepter que, pour la simple et unique raison qu'elles étaient des filles, elles devraient nécessairement rester les éternelles secondes dans l'ordre des choses.

Petites filles, elles furent libres de prendre part aux activités habituellement réservées aux petits garçons. Tandis que leur mère les confirmait dans leur identité de petite fille, leur père confirmait leur liberté d'être plus qu'une petite fille conforme à la tradition n'était autorisée à être, et cette confirmation précoce de leur droit à dépasser ce cadre du rôle traditionnellement dévolu aux petites filles les habita toute leur carrière.

En grandissant, la marge de choix en vint progressivement à constituer une dichotomie alternative entre l'image du père et celle de la mère, problème qui ne devait trouver de solution que bien plus tard. Cette dichotomie dans la répartition des rôles masculin et féminin commença à apparaître au moment où elles prirent des distances par rapport à l'intimité de la cellule familiale pour aller à l'école, et elle devint de plus en plus patente avec l'adolescence puis les années d'université et les débuts professionnels. Il s'agissait au demeurant d'une distinction exclusive imposée par la société prise dans son sens le plus large et à laquelle il fallait bien qu'elles s'intègrent ; cependant, l'aptitude qu'elles devaient montrer par la suite à surmonter le conflit créé par une telle alternative et à opérer une synthèse entre la conception qu'elles se faisaient d'elles-mêmes d'une part, et celle que la société avait traditionnellement de la femme d'autre part, dépendit pour beaucoup de cette première et déterminante confirmation de leur droit inaliénable à outrepasser les prescriptions de la société et de la tradition.

Certaines recherches ont mis à jour la signification que peut recouvrir l'existence de liens étroits au sein d'une famille. Elizabeth Douvan et Joseph Adelson ont ainsi pu établir que dans une famille réduite, le couple parental avait plus de chances de valoriser d'un commun accord l'autonomie et la prise de responsabilité chez leurs enfants. Ils établirent que, dans une famille comprenant moins de trois enfants, ceux-ci :

— étaient proches de leur père *et* de leur mère ;

— faisaient une forte identification avec leurs parents ;

— passaient une plus grande part de leurs loisirs avec eux ;

— les utilisaient comme confidents ;

— avaient plus facilement tendance à adopter leurs opinions ;

— étaient davantage capables de faire de la confiance la base même des relations avec leurs parents ;

— se sentaient plus encouragés à faire preuve d'autonomie ;

— attachaient moins d'importance aux jugements de leur entourage propre (leurs camarades) ;

— intériorisaient davantage et se montraient plus indépendants ;

— exprimaient une plus grande curiosité qui se doublait d'un plus important goût du risque.

(D'après l'ouvrage *The adolescent experience* d'Elisabeth Douvan et Joseph Adelson, 1966.)

Une femme du groupe cerna parfaitement cet aspect du problème en identifiant celui de ses parents qui encourageait explicitement chez elle la prise d'autonomie, l'indépendance, le goût de l'exploration et l'aptitude à prendre des risques.

« D'aussi loin que je me souvienne, j'ai toujours eu de bons rapports avec mes parents. Evidemment, nous nous aimions bien, mais en plus nous nous sommes littéralement adorés. Je voulais toujours être exactement comme ma mère et exactement comme mon père, ce qui, je n'en doute pas, devait mettre en joie les témoins de ce genre de déclaration ! Et malgré cela, je crois que mes parents m'ont vraiment poussée à être moi-même. Ils m'ont toujours encouragée à réfléchir à tous les problèmes et à donner mon propre point de vue, même lorsque j'étais toute jeune. Je crois qu'ils avaient une absolue confiance en moi, et cette confiance était parfaitement réciproque. C'était comme si tous les trois nous osions nous aventurer chacun de notre côté parce que, quoi qu'il nous arrive, nous finirions toujours par nous retrouver et que de toute façon chacun de nous préférait les deux autres. Par certains côtés, ils avaient tendance à se montrer hyper-protecteurs : par exemple mes parents cherchaient toujours à m'éviter d'éventuels désagréments. Cependant, par d'autres côtés, ils m'encourageaient à tenter des aventures où je risquais de me blesser. Je crois que, au cours de mes premières années, ils ont peut-être eu davantage le souci d'épargner mes sentiments que de m'assurer une protection physique. Ce qui ne veut pas dire qu'ils m'auraient laissée me tuer sans intervenir, mais la perspective d'une égratignure ou même d'un abattis brisé ne les paniquait pas. Je me souviens qu'un jour, à cinq ans, j'ai voulu grimper sur un très grand arbre. Mon père m'a dit qu'il était trop haut pour moi mais que si j'y tenais vraiment je pouvais toujours essayer. Maman m'a dit que j'allais tomber. Papa a ajouté que si je tombais, cela me servirait de leçon et m'apprendrait à reconnaître mes propres limites, mais que si je réussissais à grimper, j'aurais appris à ne pas toujours me laisser imposer des limites par les autres. Je suis grimpée tout en haut de l'arbre, et je n'ai jamais oublié la leçon. »

La signification de ce genre d'expérience est inscrite en filigrane dans la liste des caractéristiques d'une famille réduite, telle que l'ont établie Douvan et Adelson. Dans des limites extrêmement larges, cette femme apprenait en fait à devenir une personne, au lieu de se voir inculquer le comportement qui sied seulement aux petites filles. Les relations étroites qu'elle a avec son père, le soutien qu'il lui apporte, les choix qu'il lui soumet sont autant d'éléments contribuant à l'aider à grandir et se développer de façon autonome, tandis que les valeurs auxquelles croient ses parents sont proposées et évaluées avec beaucoup de subtilité. Elle apprenait que l'autorité n'avait rien à voir avec les caprices du pouvoir, mais qu'elle était inspirée par le bon sens et l'affection plus que le fait des supérieurs ou des autocrates. Ses parents étaient des amis. Et, ce qui est finalement le plus important, petite fille, on l'encourageait à prendre des risques et à en subir les conséquences. Son père légitimait en quelque sorte le goût du risque en mettant dans la même balance les chances de perdre et les chances de gagner. Alors que sa mère concevait le risque en termes exclusivement négatifs englobant d'ailleurs l'acte lui-même dans cette vue pessimiste (« Tu vas tomber »), son père l'amenait à dépasser la première réaction de peur pour essayer d'évaluer les éventuelles conséquences d'un tel acte. En fait, il lui demandait déjà, et tout simplement, de faire fonctionner son intelligence.

La réaction de la mère, traditionnelle, typique et compréhensible, constitue un exemple évident de la façon dont les femmes se transmettent de génération en génération la peur du risque. On entend la mère raconter à sa fille — comme nos mères l'ont fait avec nous et les leurs avec elles — que les seules choses à attendre d'un risque couru sont des dommages ou pertes, ennuis ou souffrances. Vu le nombre de fois que cette interprétation singulièrement restrictive du risque est transmise de mère en fille, il est plus que probable que la peur provoquée par le risque en question n'est plus un phénomène vécu consciemment. Les mères réagissent ainsi avec leur fille sous la seule pression d'une habitude séculaire. Ainsi le risque est-il reçu par les femmes, de génération en génération, comme une notion culturelle dont la réalité est rarement mise à l'épreuve des faits tandis que l'existence de dangers supposés et amplifiés n'est jamais mise en doute. Un tel message, transmis de femme à femme, sans qu'en soient reconnues les implications — et sans qu'en soit non plus reconnu le besoin, est aux antipodes de ce qui aurait pu être utile pour rendre les femmes aptes aux carrières du management.

Voir dans le risque l'aboutissement d'une réflexion fondée sur l'expérience plutôt qu'une fatalité liée à la quasi-certitude que l'on va personnellement subir une perte a traditionnellement été un héritage d'homme et non de femme. Dans la façon dont le père répond à sa petite fille, se trouve clairement impliquée l'idée que le risque peut représenter une chance ou une addition à payer, qu'il peut se solder par un gain ou une perte, l'occasion de se faire mal ou de grandir. Pour chacune des vingt-cinq petites filles à qui l'on a, semble-t-il, enseigné cette leçon, qui pourra dire le nombre de celles à qui l'on n'a rien dit, car bien rares doivent être les pères qui songent à transmettre à leur fille leur propre façon de réagir devant le risque et tout aussi rares sont les mères qui l'auraient toléré.

On retrouve chez les vingt-cinq femmes le sentiment de confiance et de sécurité exprimé par celle-ci. Le caractère ouvert des relations qu'elles avaient avec leurs parents les ont incitées, très jeunes, à traiter avec les adultes d'égal à égal, et nombre d'entre elles signalent que, lorsqu'elles étaient petites, elles se sentaient plus à l'aise avec les adultes qu'avec leurs petites camarades. Elles y voient d'ailleurs un avantage et prétendent qu'à leur avis, le déséquilibre qui marqua ainsi leurs premières relations humaines, à savoir leur nette préférence pour le monde adulte et l'absence d'échanges avec des enfants de leur âge, loin de constituer un manque, leur avait procuré une avance considérable sur les autres enfants quant aux schémas de comportement adulte qu'elles devaient acqué-rir par la suite. Elles avaient beaucoup plus d'assurance que les autres petites filles lorsqu'il s'agissait d'affronter des figures d'autorité telles que les professeurs par exemple. Et elles pourraient même y avoir trouvé un autre avantage. Car, si elles avaient dû entretenir des relations de groupe avec des camarades de leur âge à cette époque de leur vie, elles auraient sans doute été plus réceptives aux pressions les incitant à s'adapter à l'image conventionnelle de la petite fille telle qu'elle avait cours en 1910-1920 et la conception du monde qu'elles étaient en train de se forger en aurait peut-être perdu de sa clarté.

Il reste cependant que ces souvenirs concernent des individus et se rapportent à un passé déjà lointain. Les travaux de nombreux psychologues ou psychiatres de l'enfant tendraient à prouver qu'en fait elles doivent bien avoir perdu autant qu'elles ont gagné au cours de cette période de leur vie. Elles furent des petites filles plus averties, mais est-ce qu'on les aimait ? Et dans la négative, comment vivaient-elles cette situation? Fortes de l'approbation et de l'assentiment dont elles jouissaient chez elles, elles n'en devaient pas moins faire face au « soudain besoin » de développer des talents d'un ordre différent quand il s'est agi de s'intégrer au milieu scolaire. Jusqu'à ce qu'elles soient parvenues à résoudre leur problème de relation avec des enfants de leur âge, elles gardent toutes le souvenir de s'être senties rejetées et mal à l'aise. Elles se rappellent d'ailleurs que, pendant assez longtemps, elles ont connu les mêmes difficultés de relations avec leurs collègues de travail alors qu'elles se sentaient beaucoup plus à l'aise avec leur patron. Finalement, elles n'ont réussi à résoudre ce problème qu'en modifiant délibérément leur style de comportement. C'est peut-être à cette époque qu'elles ont compris qu'un changement d'attitude était non seulement possible, mais encore gratifiant.

Leur scolarité primaire fut placée sous le sceau du succès. De façon symptomatique, les vingt-cinq fillettes furent constamment des têtes de classe en même temps que des leaders de leur groupe. Elles firent partie de nombreux mouvements de jeunesse, genre scoutisme, groupements d'action religieuse ou activités pré-scolaires, où elles arrivaient vite à des fonctions de leadership. Beaucoup furent même élues par leurs camarades au poste de déléguée de classe. Pour elles, les sports d'équipe avaient beaucoup d'importance et toutes se souviennent du profond sentiment d'insatisfaction qu'elles éprouvaient devant les limitations qui leur étaient imposées au niveau primaire. L'une d'elles raconte :

« A l'époque où j'allais à l'école primaire, j'avais un niveau très honorable en tennis et plutôt satisfaisant en base-ball, le vrai base-ball, pas celui réservé aux mauviettes, avec une balle moins dure. Je m'ennuyais ferme avec les petites filles qui jouaient à ce base-ball de fillettes et j'essayais toujours de me faufiler dans les rangs des garçons. Les garçons aimaient bien m'avoir dans leur équipe parce que je jouais bien, et moi j'étais ravie d'être la seule fille. Les professeurs voyaient ça d'un très mauvais œil ; je suppose qu'elles s'imaginaient que j'évoluais de façon anormale, ou quelque chose du genre. Toujours est-il qu'on envoya un mot chez moi pour prier mes parents de faire en sorte que je joue avec les filles. Quand il lut la lettre, Papa lança une bordée de jurons et traita le professeur de " connasse frigide ". J'étais bien loin de comprendre le sens exact de ces paroles, mais je voyais fort bien qu'il était furieux. Je ne sais pas ce que pensa ma mère. Je crois qu'elle évita de s'en mêler. Mon père répondit donc en disant que je pouvais bien jouer avec les garçons et qu'au demeurant il ne voyait pas ce qu'elle avait contre les garçons. J'étais très excitée par la tournure que prenaient les événements et j'ai continué de plus belle à jouer avec les fameux garçons, jusqu'au jour où je suis entrée au collège. Là, j'ai rencontré des filles qui faisaient aussi bien que moi et j'ai abandonné la pratique des sports virils. D'ailleurs, je commençais à fréquenter, comme on dit, et de toute façon j'aurais cessé pour cette raison. »

Pour autant qu'elles s'en souviennent, ces femmes étaient arrivées à l'école sans avoir la moindre notion de l'étiquette masculine accolée à certains sports, parce que chez elles, on ne leur avait jamais enseigné à distinguer les activités en fonction d'une quelconque identité sexuelle. Elles affirment n'avoir appris à opérer ce genre de distinctions que lorsqu'elles furent en âge d'aller à l'école et qu'elles en comprirent la nécessité par leur expérience de la vie de groupe avec d'autres enfants ainsi qu'à travers les attitudes et commentaires des enseignants. Néanmoins, de telles distinctions restaient aberrantes aux yeux de leurs parents, de leur père en particulier, et la discordance entre l'opinion du monde extérieur et le point de vue familial se trouva toujours résolue par l'adoption de la position défendue par les parents. Une femme fait allusion à sa propre façon de vivre le conflit en ces termes :

« L'expérience de mes premières années de vie scolaire fut marquée par un constant sentiment de frustration. J'étais arrivée à l'école forte du conseil suivant donné par mes parents : Tout essayer et faire de mon mieux dans chaque domaine auquel j'aurais accès. Travailler dur, faire de son mieux et réussir étaient les valeurs essentielles. Ce qui me dérouta à l'école, c'est que pour une fille une telle attitude était acceptable dans certains domaines mais pas dans les autres. Rien à redire au fait d'être la première de la classe, mais les filles étaient censées rivaliser passivement, en toute bienséance. Je me voyais explicitement rejetée par certains adultes comme garçon manqué. Moi, je ne comprenais jamais quelles activités étaient réservées aux garçons et lesquelles revenaient aux filles. En tout cas, je percevais mal le bien-fondé de ces distinctions. Finalement, j'ai réussi à canaliser mes activités dans les domaines reconnus féminins, mais à l'intérieur desquels je m'orientais vers les rôles les plus dynamiques et les plus chargés de responsabilités. J'étais ce que l'on appelle une meneuse. »

A l'âge de six ans, toutes ces femmes savaient déjà distinguer entre les sexes sur la base d'une différence physique; à douze ans, toutes étaient conscientes qu'une différence au niveau de la distribution des rôles venait renforcer cette distinction. Cependant, le caractère inné de la différence sexuelle n'était pas d'une réalité évidente et par conséquent, pour des petites filles chez qui l'on avait expressément développé le goût pour une vie active, il était particulièrement difficile d'accepter les justifications de la répartition des rôles en fonction du sexe, ainsi que tous les discours qui insistaient à loisir sur le caractère passif du rôle dévolu aux femmes. Les commentaires accompagnant leurs souvenirs d'elles-mêmes à sept ou huit ans sont à la fois longs et concordants. Une femme met bien en valeur l'incompréhension dont elles souffrirent toutes :

« Lorsque j'y repense, j'ai toujours aimé faire ce que faisaient les garçons. J'aimais bien faire les choses que faisaient les filles aussi. A vrai dire, j'aimais faire un peu des deux. En clair, je voulais pouvoir faire ce que j'avais envie de faire. J'ai toujours su que j'étais une fille dans la mesure où j'étais jolie, portais des robes, ressemblais à ma mère et où un jour je me marierais pour avoir des enfants. Je ne savais pas très bien ce que tout cela signifiait. Je ne crois pas que je refusais d'être une fille ni de faire ce que font les filles. Ce que je refusais, c'est que l'on dise que les filles ne doivent pas faire telle ou telle chose. Je pensais que les gosses devraient avoir le droit de faire ce qu'ils veulent au lieu de faire ce qu'ils sont censés faire. Mes parents m'ont toujours soutenue dans cette idée. Bien sûr, à l'époque, j'ignorais tout de la magie des sexes. Cette science m'est venue plus tard, aux alentours de douze-treize ans. Quand j'étais petite, je n'arrivais jamais à comprendre *pourquoi les mères pouvaient brosser le plancher, mais pas jouer au base-ball, pourquoi elles pouvaient faire toutes sortes de travaux pénibles chez elles, mais étaient incapables de porter leur filet à provisions chez l'épicier ou d'ouvrir la portière de leur voiture quand il y avait un homme aux alentours.* »

Il serait difficile de surestimer l'importance de la réalité recouverte par de tels propos : une petite fille occupée à grandir et qui remarque les contradictions inhérentes à la traditionnelle répartition des tâches constitue un phénomène rare. Et encore plus rare celle qui les remet en cause. La majorité des petites filles ne remarque rien du tout pour la bonne raison que personne dans leur entourage ne remarque rien non plus. Acceptée sans réfléchir comme une « règle », ou comme « la façon dont les choses se sont toujours passées », cette définition des rôles sert d'arrière-plan quasi schizophrénique aux premières expériences vécues par la femme. Le fait que nos vingt-cinq femmes aient remarqué ces « règles », qu'elles les aient remises en cause ou qu'elles se soient simplement fait prier pour s'y soumettre constitue un acquis déterminant pour leur capacité à persévérer ce genre d'attitude une fois atteint l'âge adulte, et aussi leur aptitude à se définir elles-mêmes et ce dont elles étaient capables, dans une optique qui divergeait singulièrement du stéréotype.

Elles se voient à dix-onze ans comme promises au succès, capables mais néanmoins frustrées et limitées. Elles jugent qu'elles étaient alors fondamentalement heureuses, relativement arrogantes avec leurs camarades et jouissaient de la haute estime de leurs parents et de leurs professeurs. Elles se situaient comme petites filles, mais jugeaient que les garçons avaient la meilleure part à cause des libertés plus grandes que la société leur concédait. Grâce surtout à l'influence de leur père, leur vie à la maison était débarrassée des contraintes liées à la répartition des rôles dont elles prenaient justement progressivement conscience dans le monde extérieur au cercle familial. Elles ne voyaient pas clairement comment se sortir de ce conflit fondamental et se contentaient de penser que les choses se passeraient mieux dans un univers de garçons. L'une d'entre elles exprime ces problèmes de façon percutante :

« A dix ans, j'étais un garçon dans un corps de fille. J'en étais intimement persuadée. Je savais que j'étais une fille, j'étais parfaitement au courant des différences anatomiques qui distinguaient les filles des garçons et tout ce genre de choses, mais ce n'est pas ce qui me tracassait ; pour moi, le problème était que les garçons avaient toute la liberté et tout ce qui était amusant. Le code de la vie que l'on m'enseignait à la maison et que l'on m'encourageait vivement à suivre n'était pas en harmonie avec les expériences que j'avais au-dehors. Comme les liens familiaux étaient infiniment plus forts que quoi que ce soit venu de l'extérieur, j'ai persisté dans mon désir d'être un garçon. Cependant, j'étais également malheureuse en me conduisant de la sorte parce que j'avais envie d'être aimée et respectée un peu partout, ce qui faisait aussi partie du code familial. Il m'a fallu très longtemps avant de trouver une façon de me situer qui concilie le fait d'être une fille et celui d'être active et de réussir. Il faut dire que la réussite dans l'optique définie par mes parents comprenait non seulement le fait de réussir dans le domaine traditionnellement réservé aux filles mais aussi un certain succès dans des secteurs où les garçons semblaient être les seuls à pouvoir légitimement s'aventurer. Pendant les premières années d'école, les filles et les garçons étaient plus ou moins logés à la même enseigne, mais en fin de scolarité les différences commençaient à être soigneusement accentuées. Les garçons étaient matheux et scientifiques, tandis que les filles étaient douées pour la musique et les disciplines artistiques. Les filles étaient bonnes en anglais, les garçons en instruction civique. Il se faisait de nombreuses distinctions infiniment plus subtiles que la gymnastique ou les diverses disciplines. Les activités préscolaires réservées aux filles avaient un caractère fondamentalement mondain, tandis que les garçons pouvaient concevoir et mener à bien des projets. Ils pouvaient s'orienter vers une tâche précise. Pour moi, les clubs de filles représentaient une perte de temps. Pour l'essentiel, il s'agissait de s'asseoir en rond pour discuter, et moi j'avais besoin et envie d'être plus active et de faire des choses une fois de temps en temps. A vrai dire, il en allait de même pour beaucoup de fillettes car je finissais toujours par me trouver propulsée au rang de meneuse pour la bonne raison que, précisément, je leur faisais faire quelque chose, une fois de temps en temps. »

Les exigences fondamentales pour arriver à quoi que ce soit comprennent la volonté de faire, un goût pour la chose à accomplir, le désir d'être respectée pour ses aptitudes, le plaisir de la compétition, la capacité à prendre des risques. Ces qualités sont autant recherchées pour l'exercice d'une profession dans les affaires que pour les fonctions d'administrateurs d'organisme à but non lucratif. Elles sont généralement considérées comme masculines et deviennent, de ce fait, l'apanage des hommes. Dans le cas qui nous intéresse, ce sont des qualités que nos vingt-cinq fillettes possédaient à l'évidence, auxquelles elles attachaient beaucoup de valeur, qui étaient gratifiantes en elles-mêmes et susceptibles de leur gagner l'assentiment et l'estime de leurs parents, celle de leur père en particulier.

Cependant, ces petites filles ont acquis les soi-disant qualités et objectifs masculins sans pour autant renoncer à leur candide façon de se concevoir comme femmes à part entière. Disons plutôt que trouvant l'univers des petites filles auquel elles appartenaient par trop étriqué, elles ont secoué le joug pour obtenir plus de liberté, et le soutien actif de leur père conjugué à la permission tacite de leur mère leur a servi de rempart contre l'inévitable situation conflictuelle provoquée par leur rébellion. Leur attitude par rapport aux garçons ne s'est jamais située au niveau de l'envie d'appartenir au sexe masculin mais plutôt d'une certaine jalousie devant la relative absence de contraintes imposées aux garçons. Ces femmes, en fait, revendiquaient le droit d'aspirer à plus que ne les y autorisait la définition officielle des rôles féminins. Etant donné les valeurs prônées par leur père, elles trouvaient le personnage traditionnel de la « fille » insupportablement restrictif tandis que le soutien de leurs parents les sécurisait suffisamment pour leur permettre de défier ces modèles imposés. Même si les transgressions furent modestes, leur expérience n'en fut pas moins celle du défi, avec les conflits qui s'ensuivirent plus les tentatives de résolution de ces conflits, le tout restant centré sur leur aptitude à assumer leur identité de filles, mais aussi à dépasser le cadre imposé par cette identité.

Cette expérience précoce permet de comprendre pourquoi elles furent plus tard capables de défier le monde masculin du management en utilisant des méthodes qui devaient leur permettre d'avoir elles-mêmes accès à cet univers. Pour réussir, elles avaient besoin d'un soutien et d'un assentiment semblables à ceux que leurs parents leur avaient jadis accordés. Ce soutien, elles le trouvèrent, et il fut déterminant pour leur carrière. Mais surtout, et c'est là le plus important, leur passé leur avait donné la confiance et l'assurance nécessaires pour croire qu'elles trouveraient un tel soutien et donc s'aventurer à le rechercher.

Ainsi commence-t-on à entrevoir, dans l'expérience vécue par ces femmes, que nombre des particularités traditionnellement perçues comme masculines, voire considérées comme des vertus innées du sexe mâle, se comprendraient peut-être mieux si elles étaient envisagées comme fondées sur un savoir, des qualités et des compétences que les garçons acquièrent grâce au type d'activités et de relations dans lesquelles ils sont engagés, grâce aux façons de penser auxquelles ils sont confrontés, grâce enfin à la rétribution qui récompense la maîtrise à laquelle ils accèdent dans l'un ou l'autre de ces domaines. A bien considérer l'enfance de ces vingt-cinq femmes, l'on commence à voir que, petites filles, elles eurent la possibilité de prendre part à une expérience instructive, et furent récompensées pour avoir su en tirer la leçon, que cette expérience était assez éloignée de ce qu'on apprend généralement aux petites filles d'aujourd'hui, pour ne pas faire référence à ce que pouvait être la norme dans les années immédiatement postérieures à 1910. Notre conclusion pourrait bien être qu'une grande part de ce qui est baptisé « mode de pensée masculin » n'est peut-être qu'un savoir et un apprentissage acquis par la moitié seulement de nos enfants dans une classe aux structures aberrantes où les disciplines enseignées varient radicalement selon la moitié de l'auditoire auquel l'on s'adresse.

7. L'adolescence

Pour ces vingt-cinq femmes comme pour nous-mêmes, l'adolescence fut totalement dominée par un thème central : l'émergence de l'identité sexuelle et les tentatives pour résoudre les problèmes qui en découlaient. La stabilité de leur vie familiale, l'encouragement et le soutien fidèle de leurs parents et plus particulièrement de leur père, les avaient aidées, quelques années auparavant, à vivre les conflits suscités par l'idée qu'elles se faisaient d'elles-mêmes et de la personne qu'elles s'efforçaient de devenir d'une part, et par ce que la société avait déjà décidé qu'elles devraient être d'autre part. Avec l'adolescence de nouveaux conflits surgirent, plus profonds que les précédents.

Les données que nous avons pu rassembler sur cette période de leur vie révélèrent qu'entre douze et treize ans elles prirent progressivement une conscience aiguë de leur féminitude et des limitations imposées par ce genre. Alors que jadis elles s'étaient reposées sur l'approbation de leurs parents pour ignorer sciemment et efficacement les conflits qui naissaient entre leurs propres conceptions et ce que la société attendait d'elles, elles découvrirent qu'il devenait de plus en plus difficile de réagir ainsi. Avec l'adolescence, l'assentiment et le soutien apportés par leur famille se mirent à perdre de leur utilité. Leur solide sentiment de sécurité se trouva menacé et leurs idées concernant leur propre identité furent de plus en plus tributaires des attitudes et opinions des autres, ceux de l'extérieur. Elles passaient moins de temps chez elles, en famille, et de plus en plus au dehors, avec leurs camarades, si bien que le fait d'avoir Papa ou Maman pour dire « bravo » quand les autres et les professeurs disaient le contraire commençait à ne plus être d'un très grand secours. D'autant plus que sur certains chapitres, Maman commençait à ne plus dire « bravo » du tout.

Toutes ces femmes, sans exception, étaient issues d'un milieu familial où la supposée infériorité de la femme ne s'appliquait pas à elles en tant qu'individus. Elles constituaient un groupe d'êtres humains ayant fait une expérience très précoce de la liberté, du droit à la libre expression et à l'affirmation d'une identité qui se moquait des restrictions imposées par la tradition. En grandissant, leur vie à l'extérieur du cercle familial devint de plus en plus circonscrite. Les relations extra-familiales prenaient une importance croissante et avec l'adolescence, confrontées qu'elles étaient au développement de leur propre identité sexuelle, il leur fut de plus en plus difficile de résister aux pressions de leurs petits mondes respectifs. Avec une évidence plus criante que jamais, elles étaient des filles et avec une insistance plus grande que jamais, on attendait d'elles qu'elles se conduisent en conséquence.

De nombreuses femmes s'exprimèrent longuement sur ces problèmes, mais le passage suivant est particulièrement représentatif :

« Le sexe physiologique prit pour moi une criante réalité lorsque j'ai commencé à mettre en équation garçons et liberté. Au cours de la même période, ma mère tentait de me convaincre de la nécessité, pour les filles, de se protéger contre toute possibilité de grossesse. J'ai alors soudain compris pourquoi la société laissait les garçons libres d'agir à leur guise tandis que j'étais enfermée et contrainte. Croyez-moi, à cette époque je maudissais le sort de ne pas m'avoir donné un corps de garçon ; c'est tout ce que je voyais : une différence de corps. Pour moi, garçons et filles étaient des personnes identiques sauf pour le corps et la façon dont eux-mêmes et la société décidaient qu'ils devaient agir. La seule différence ensuite que je pouvais accepter de prendre en considération était celle qui concernait le physique, et encore ne changeait-elle rien du tout à mon point de vue jusqu'à ce que je prenne conscience de la vulnérabilité dont les femmes avaient à se protéger. Je me demande comment la pilule fera évoluer tout cela, au bout du compte.

« Ensuite, et avant même de tenter réellement l'expérience, j'enrageais franchement d'être censée me refuser le plaisir de la liberté sexuelle. Oh certes, ma mère tenta bien de me convaincre qu'être libre sexuellement ne représentait rien du tout pour une femme, mais j'avais déjà lu trop de livres pour la croire !

« Je crois qu'au départ j'ai eu le sentiment d'avoir été flouée par la société. On m'avait créée " femelle ". Puis je fis porter le blâme sur mes parents, sur les femmes en général et, pour finir, sur ma mère. Je me souviens m'être tenu le raisonnement suivant : j'avais autant de chances d'appartenir à l'un ou à l'autre sexe, alors ce ne pouvait qu'être la faute de ma mère si je m'étais retrouvée dans la peau d'une fille. Quelle belle logique ! Toujours est-il qu'une forte dose d'hostilité s'établit entre ma mère et moi. Moi, lui en voulant de m'avoir fait naître fille et elle, redoublant d'efforts pour que j'en devienne une. J'ai eu énormément de mal à comprendre ce qui m'apparaissait comme un changement radical d'attitude à mon égard. Pendant les dix premières années elle m'avait encouragée à vivre librement et maintenant que j'étais assez grande pour apprécier cette liberté et en user, elle flanchait. »

A première vue, ces déclarations peuvent passer pour une description classique de ce que l'on appelle sans discrimination l'envie du pénis, ou le complexe de castration : elles semblent constituer une toile de fond parfaite pour le déroulement de la prétendue « dernière bataille pour la virilité » en même temps qu'elles en situent les mécanismes : hostilité accrue à l'égard de la mère, tenue pour responsable de la mutilation qui faisait que la fillette était définitivement moins qu'un garçon.

Mais cette femme parle aussi de vulnérabilité et de contrainte, deux notions liées à des faits de société et non à une quelconque action de la mère. Elle ne raconte pas un désir d'accéder à la condition masculine en tant que telle. Elle fait allusion aux restrictions imposées à la personne qu'elle sait être, à son identité, à la conception qu'elle a d'elle-même comme individu libre et indépendant.

Une interprétation freudienne de la féminité escamoterait complètement ce problème en affirmant que la position de refus exprimée par cette femme devant sa propre vulnérabilité et les contraintes qui en découlent sont en fait le résultat de son désir inconscient de posséder un sexe mâle. Le soudain renversement opéré dans le cours d'un développement qui s'était fait jusque-là en toute indépendance, la stupéfaction et les conflits qui en résultent se verraient proprement expédiés sous prétexte que depuis le début elle avait désiré être sexuellement un petit garçon et posséder un pénis, siège nécessaire de cette plus grande satisfaction sexuelle dont, à une phase antérieure de son développement, elle était supposée avoir pu attribuer la jouissance aux garçons. Toujours selon la même théorie, elle serait actuellement perçue comme prête à livrer cette dernière et décisive bataille pour la virilité où seraient engloutis tous les autres aspects de son identité ; quant aux facteurs qui avaient présidé à la formation de cette identité, et principalement la qualité particulière de la relation parent-enfant, il n'en serait jamais question. Ce type d'analyse ignorerait aussi un point d'une importance pourtant cruciale : c'est que toutes ces femmes ont à plusieurs reprises affirmé leur satisfaction d'être des filles, des petites filles un peu uniques en leur genre et que leurs pères rendaient plus uniques encore en les introduisant dans le monde des hommes. Leur désir exprimé de continuer à être des filles qui prennent part et même s'emparent des rôles qu'elles pouvaient assumer dans un univers d'hommes, constitue, au vu de leur histoire ultérieure, une donnée qui s'enracine à la fois dans la réalité et le bon sens.

Si cette femme avait renoncé à ses propres aspirations pour céder à celles de sa mère, elle aurait eu à revoir l'orientation première de ses activités, son goût pour la compétition et la réussite, autant de tendances qui reposent sur des valeurs indispensables à l'accomplissement de nombreux métiers demandant dynamisme et initiative. Les vingt-cinq femmes que nous avons étudiées n'ont renoncé ni à leurs valeurs ni à leurs premières inclinations et leur comportement était de ce fait très différent de celui que l'on a l'habitude de considérer comme normal chez une adolescente.

La normalité féminine est définie par opposition aux normes masculines, en valorisant la plus grande distance possible entre les deux pôles. Parmi les critères généralement admis figurent : dynamisme contre passivité, agressivité contre soumission, créativité contre exécution, goût du risque contre recherche de la sécurité, force contre douceur, tendance à prendre contre tendance à accepter.

A l'aube de la puberté, filles et garçons sont censés commencer à se mettre en quête de partenaires et apprendre à se conduire correctement dans le monde adulte au niveau de ces relations. Les distinctions que nous venons de voir constituent autant de prescriptions précises pour le comportement qui sied aux femmes, ce qui signifie qu'elles sont censées accepter un rôle passif, soumis, subalterne, sécurisant, doux, réceptif, caractéristiques qui dans les années vingt passaient volontiers pour le *nec plus ultra* de la féminité adulte.

Etant donné que la psychologie et la société se sont traditionnellement entendues pour cette répartition des catégories, nos vingt-cinq femmes constituent un bel exemple de déviance par rapport à la norme. D'où ont-elles pu tirer la liberté et la sécurisation dont elles avaient besoin pour persister dans des activités et des rôles qui n'étaient pas généralement considérés comme féminins ? Comment ont-elles réussi à se percevoir comme des personnes pour qui la vocation traditionnelle de la femme ne représentait seulement qu'une part de la vie ? Qu'ont-elles perdu et qu'ont-elles gagné à ce jeu-là ?

En suivant l'adolescence de ces femmes, on trouve les preuves éclatantes d'un combat acharné pour ne pas se laisser enfermer dans la prison que l'on appelle féminité et c'est dans cette optique qu'il faut voir les manifestations d'hostilité et de ressentiment à l'égard de la mère. Elles en arrivent à voir dans leur mère quelqu'un qui a abandonné la lutte et esssaie maintenant de les contraindre à baisser les armes à leur tour Par opposition, toutes s'entendent à présenter leur relation au père comme inchangée. Voici ce que dit l'une d'elles :

« C'est l'époque où j'ai considérablement réduit ma dépendance par rapport à ma mère, où j'ai rejeté ses idées, idées qu'elle partageait d'ailleurs avec nombre d'autres femmes, concernant le rôle dévolu à la femme. Dans le même temps, mes relations avec mon père devaient très peu changer. S'il y eut changement, ce fut sans doute dans le sens d'un approfondissement et d'une extension. J'étais toujours le centre incontesté de l'attention paternelle. Pour papa, la réussite et l'accomplissement de l'individu restaient les valeurs essentielles. Papa ne m'a jamais regardée avec le même regard que celui qu'il portait à Maman. Il attendait et rétribuait un certain type de comportement chez ma mère, un autre chez moi.

« Oh, certes, il me traitait un peu différemment et il lui arrivait plus souvent de me faire compliment de mon apparence. Mais fondamentalement, nous étions toujours une bonne paire d'amis. Nous continuions à jouer au tennis, faire de la voile ensemble en été et discuter de ses affaires avec véhémence. A treize ans, j'ai commencé à travailler pour Papa, dans son bureau. Je crois que c'est aussi à cette époque que j'ai décrété que je n'aimais pas les femmes, par principe ! Ce qui signifiait que je n'aimais pas la compagnie des femmes. Elles me mettaient mal à l'aise, mais surtout elles suscitaient ma réprobation. Je les trouvais idiotes et je crois qu'elles pensaient la même chose de moi ! J'avais quelques camarades féminines avec qui je partageais un certain nombre de centres d'intérêts, mais rien de plus. »

Une autre :

« Quand j'ai eu une douzaine d'années, j'ai décrété que ma mère n'avait pas toutes les qualités que je lui avais prêtées jusqu'alors. Je me souviens que ce fut une crise terrible dans ma vie. Je crois que tout a commencé après qu'elle se fut mise à me suggérer d'abandonner mon style garçon manqué. Elle disait que je devais me stabiliser et apprendre à devenir une vraie jeune fille. Le mot "apprendre" m'a frappée ! Je trouvais très agréable d'être une jeune fille, mais pas au sens où ma mère l'entendait. Elle voulait dire être une " jeune fille bien ". Moi, je me considérais comme une personne. Je me disais qu'il était bien dommage que je ne sois pas un garçon pour la seule et unique raison que cela aurait simplifié les choses pour tout le monde. Je me souviens d'ailleurs de leur avoir fait aussi ce reproche. C'est encore à cette période que j'ai commencé à avoir des problèmes avec mes amies. J'avais quelques très bonnes amies, mais je détestais les groupes de filles. J'ai toujours préféré les relations à l'échelle individuelle. Je me suis également lancée dans mes premières activités mixtes, ce qui, pour moi, a définitivement sonné le glas des organisations exclusivement féminines. Je préférais être vice-présidente d'un groupe mixte que présidente de n'importe quel truc de filles. Quant à mon père, il resta inébranlable dans la tempête, il demeura mon Cher Petit Papa Chéri et nos relations furent mon havre de paix en cette période de crise. »

De façon symptomatique, on encourage les enfants à s'identifier avec des adultes du même sexe qu'eux, à les imiter, et les garçons ont tôt fait d'apprendre que certaines qualités, talents et objectifs servent à définir la masculinité et que cette masculinité est elle-même profondément ancrée dans l'accès à une belle situation et ce que l'on appelle la réalisation de soi. Les filles ont tendance à apprendre que la vocation traditionnelle de la femme s'articule sur une autre définition de la belle situation : il s'agit en effet beaucoup plus de réussir à épouser un homme pourvu de la belle situation en question, un battant qu'il faut parvenir à arracher à la convoitise des autres filles.

Pour les filles, surtout celles que préoccupe l'idée d'une certaine réussite, l'adolescence éclaire souvent d'un jour différent — et ce revirement est quelque peu traumatisant — la notion de compétence. Le succès devient synonyme de popularité, il s'agit d'être la fille la plus recherchée et courtisée du groupe. Pour les garçons, la notion de compétence demeure égale à elle-même : elle est liée à une réussite objective, au succès rencontré dans ce qui a été entrepris, à l'émergence en tant que chef. Certes, le fait d'être bien de sa personne et de jouir d'une certaine popularité ne peut que jouer positivement, mais celui qui est dépourvu de charme essaie toujours de se consoler avec la réconfortante certitude qu'à long terme sa compétence l'aidera à l'emporter dans le monde extérieur, celui où l'on juge les gens sur pièces. Pour les adolescentes, la consolation risque d'être bien insignifiante. Après tout, combien de femmes ont jamais gagné dans ce monde-là ?

Le rôle joué par ces pères anticonformistes plus que l'influence de mères qui devenaient, elles, de plus en plus conformistes, fut dès lors déterminant pour la formation de l'identité de nos vingt-cinq adolescentes. En les considérant comme des femmes, mais des femmes capables d'assumer plus d'un rôle, ces pères contrebalançaient une conception traditionnelle de la féminité en contradiction avec la notion de réussite, et apportaient un soutien inestimable aux valeurs qu'elles s'étaient choisies et pour lesquelles elles montraient des dons évidents.

Les relations père-fille vécues par ces vingt-cinq adolescentes sont relativement uniques en leur genre. En effet, elles n'eurent jamais à se percevoir comme les rivales de leur mère pour gagner l'affection paternelle, pas plus qu'elles ne virent dans la mère en question une quelconque menace pour les relations qui les liaient à leur père. Si un peu plus tôt elles avaient évoqué leur mère avec des qualificatifs tels que « chaleureuse, papillonnante » — une contingence utile et agréable qui n'avait rien de bien excitant et peu de magnétisme personnel —, elles la jugeaient, parfois avec compréhension mais souvent avec irritation, plutôt vieux-jeu.

Le fait qu'elles puissent à ce point prendre leur mère pour un fait acquis est essentiellement dû à l'absence de fils dans la famille. Les récriminations de ces adolescentes contre les restrictions que leur mère entendait leur imposer étaient exemptes de toute rancœur suscitée par la comparaison de leur situation avec l'indépendance dont aurait pu jouir un frère éventuel et, dans leur cas, la relation parents-enfant n'eut jamais à pâtir de la jalousie style : « C'est lui qu'ils préfèrent, puisqu'ils lui laissent faire des choses et aller dans des endroits qu'ils m'interdisent. »

Dès le début, l'absence de fils dans la famille permit à ces femmes de bénéficier d'un traitement particulier. La dissolution du premier lien à la mère, aussi douloureux fut-il, se trouva contrebalancé par l'intérêt, l'attention et l'amour actif que leur porta leur père et au moment de démêler leurs propres sentiments elles n'eurent jamais l'occasion de soupçonner leurs parents de préférer les garçons ou de leur attribuer une quelconque supériorité, ou les deux à la fois. En d'autres termes, elles ne pouvaient établir de lien entre leur déception, leur disgrâce, et le fait qu'elles étaient des filles, c'est-à-dire mettre en cause une part fondamentale de leur identité comme beaucoup d'autres filles sont inéluctablement amenées à le faire, grâce à quoi une part importante de l'estime qu'elles se portaient à elles-mêmes a pu être préservée.

Adolescentes, elles virent leur mère se retourner contre elles non parce qu'elles étaient des filles, mais seulement parce que la mère en question était incapable ou ne voulait pas résister aux pressions sociales. La différence est de taille. En effet, ces femmes purent demeurer certaines qu'il n'y avait pas de défaut inhérent à leur propre personne du fait qu'elles étaient des filles, et il

156

leur fut ainsi possible de croire que les prescriptions de la société pouvaient être défiées, dès lors qu'on était disposé à en payer le prix.

Toutes ces femmes affirment qu'au cours de leur adolescence, la relation père-fille resta marquée par le goût de l'exploit. L'admiration et l'affection circulaient entre père et fille sur la base de la réussite objective. Ces pères attachaient la plus grande importance à l'épanouissement des talents et aptitudes de leur fille plutôt qu'à leur adaptation à un rôle ou un style de comportement donné en fonction du sexe auquel elles appartenaient. Ainsi, quand elles se sentaient plus particulièrement menacées, celles-ci trouvaient en lui un facteur hautement sécurisant. D'une façon générale, cette relation au père devait contribuer à accentuer leur sentiment d'amour-propre ainsi qu'à les distraire et les protéger des tensions occasionnées par les pressions exercées sur elles pour qu'elles se conforment au schéma imposé.

Cependant, il serait faux de penser que de tels pères traitaient leur fille exactement comme ils auraient traité un fils. Rien ne permet de supposer qu'ils refusaient la féminité de leur fille. Ils agissaient avec celle-ci comme ils auraient pu le faire avec un fils, mais en tenant compte de la véritable identité sexuelle de l'enfant. De son côté, l'adolescente ne ressentait aucune nécessité de se gagner les faveurs d'un père, vu que c'était chose faite depuis des années.

La source de soutien et de confirmation la plus importante dont bénéficièrent ces femmes au moment où se forgeaient leurs propres idéaux, celle qui leur apporta le plus de gratification, se trouve dans cette relation. Quand tout changeait autour et à propos d'elles, l'intérêt et l'amour que leur portait leur père demeura constant. C'est une période où elles se souviennent de s'être senties plus proches que jamais de ce père adoré. Alors que pendant leur enfance père et mère avaient apporté sécurité et encouragement à la fille, ce rôle était désormais essentiellement assumé par le père, et la mère était ressentie comme une source potentielle de conflit portant sur l'éternelle contradiction entre ce que la fille voulait être et sentait qu'elle était d'une part, et ce que la société et sa mère entendaient qu'elle fût d'autre part. Elle ne refusait pas la féminité comme réalité, pas plus qu'elle ne rejetait radicalement la personne incarnée par sa mère. Elle s'opposait plutôt aux impératifs de la féminité que celle-ci tentait de lui imposer.

Après avoir étudié 1 925 adolescentes, E. Douvan et J. Adelson ont distingué trois types de croyances et aspirations qu'ils qualifient respectivement de féminin, masculin et ambivalent.

Ils donnent du type ambivalent la description suivante : « Les filles à féminité ambivalente concilient une intégration explicite aux aspirations féminines et un désir inspiré par certains aspects des rôles traditionnellement dévolus aux hommes. En même temps qu'elles sont attirées par le mariage et la maternité, elles portent un vif intérêt à leur réalisation personnelle dans le présent comme dans le futur. Elles tiennent énormément à la notion d'épanouissement personnel. Pour elles, le souci de la réussite et les rêves de succès sont très prioritaires. Elles se passionnent pour les métiers et les talents sans vocation sociale. Elles se choisissent des modèles masculins plutôt que féminins, et quel que soit le modèle qui rencontre leurs faveurs, il est retenu pour ses qualités admirables : caractère, talent, compétence professionnelle et séduction personnelle. Elles le choisissent avec objectivité, alors que les filles féminines ont recours à des liens affectifs pour effectuer leur choix. Elles (les ambivalentes) font preuve d'une remarquable aptitude à opter pour ce qui est le plus risqué quand elles doivent effectuer un choix. Elles sont tout à fait disposées à ne compter que sur elles-mêmes. Leurs parents les ont élevées comme on est normalement censé élever les garçons. Elles racontent qu'au moins l'un de ces parents accorde la plus grande importance à leurs talents et à leur indépendance. Le bon sens et un jugement sûr sont des qualités extrêmement prisés dans leur famille. Une fille qui n'est pas ambivalente ne cherche à se réa-

158

liser qu'à travers le mariage alors que si elle est ambivalente elle envisage au moins deux possibilités : la réussite personnelle et le mariage. »

Il est peut-être instructif de rappeler qu'il y a seulement dix ans, l'adjectif « ambivalent » servait à désigner les filles qui cherchaient essentiellement à mettre en accord les exigences sexuelles et celles de l'intelligence, celles qui cherchaient à devenir des êtres humains à part entière. Ceci mis à part, et quoi qu'aient pu être les vingt-cinq femmes qui nous intéressent à cette époque de leur vie, il ne saurait être légitimement question d'ambivalence. D'une façon ou d'une autre, elles allaient trouver les moyens de régler les conflits dont elles ressentaient l'existence. Et elles savaient qu'elles pouvaient compter sur le soutien actif de leur père pour les y aider.

Au lycée, elles obtinrent toutes d'excellents résultats. Les activités mixtes leur offraient un nouveau terrain où se mesurer et elles se retrouvèrent rapidement à la tête de groupements mixtes, le plus souvent au poste de vice-présidente. Peut-être faut-il y voir une conséquence, mais elles revendiquaient autant de petits amis que les autres filles. Et elles en vinrent à envisager sérieusement le mariage et la maternité. Typique de cet état d'esprit est la déclaration suivante :

« Il ne m'est jamais venu à l'idée que je pourrais ne pas me marier ou ne pas avoir d'enfants. Simplement, je voulais aller plus loin. Je voulais être davantage une personne que ne l'était ma mère. Je savais que j'étais une femme et le fait d'être admirée par les garçons me comblait d'aise. Mais pour moi cette admiration ne faisait que s'ajouter à celle dont me gratifiaient les adultes pour mes talents et capacités. Je suis arrivée à une certaine entente avec ma mère lorsque je me suis mise à sortir avec des garçons et à accepter de parler chiffons et autres sujets féminins. Elle a même commencé à se montrer heureuse de mes succès scolaires et à les encourager ; nous pouvions enfin discuter ensemble de mes études et de mon avenir professionnel. Pour papa, bien sûr, il n'était pas question de prétendre à moins qu'à des études supérieures. Je faisais toujours figure de contestataire parmi mes camarades, mais on semblait commencer à m'accepter telle que j'étais. De toute façon, notre vie au jour le jour nous occupait suffisamment pour que nous n'ayons que rarement le loisir de nous soucier de l'avenir. Pourtant, il m'arrivait souvent d'y songer en privé, et je trouvais extrêmement important de faire mes études dans un établissement mixte. J'avais le sentiment que la traditionnelle alternative de l'enseignement ou de la carrière paramédicale était bien restrictive, et j'envisageais de m'orienter vers le secrétariat de façon à travailler dans l'environnement qui m'était le plus familier, celui que je connaissais à travers mon père. »

Cette réaction, qui peut sembler bien banale par son côté féminin, offre en fait un bel exemple de l'acceptation pleine et entière de la féminité avec quelque chose en plus, le désir de réussir quelque part et de se voir récompensée. Confrontées aux pressions adolescentes visant à les faire se conformer à un modèle plus passif, elles cherchèrent à composer avec ces impératifs en les infléchissant dans un sens qui leur permît d'épanouir leurs aspirations propres en fonction de l'idée qu'elles avaient d'elles-mêmes. A la fin de la période adolescente, on note la tendance à une certaine autonomie et à un contrôle de soi dans le comportement de ces jeunes filles. Pour la première fois, elles évoquaient ouvertement le souci de trouver une harmonie entre leurs propres besoins et objectifs, et les situations dans lesquelles elles se placeraient délibérément. Elles commencent à parler études et projets professionnels. Le fait de travailler plus tard ne se présentait pas comme un éventuel style de vie, mais comme la seule et unique alternative envisageable. Voici ce que dit l'une de ces femmes :

« Je n'étais sûre que d'une seule chose : c'est que jamais je n'envisagerais une seule minute de me marier et de rester à la maison comme l'avait fait ma mère. C'est un genre de vie que j'ai dû rejeter très tôt parce que, d'aussi loin que je me souvienne, j'ai toujours su que je ne voulais pas d'une vie semblable à celle de ma mère, mais à celle de mon père. Pour moi, travailler représentait une activité satisfaisante et pleine d'intérêt et j'attendais ce moment avec impatience. Jamais je n'ai envisagé de vivre autrement qu'en travaillant. »

Jusqu'à présent, le rôle joué par les pères dans l'éducation de leur fille est à la fois clair et cohérent ; il est à son apogée avec le choix du père comme modèle de référence. La mère, qui avait commencé par encourager chez sa fille l'autonomie et le désir de réussite, change d'attitude au début de l'adolescence de celle-ci pour se faire l'avocate active et convaincue de l'image traditionnelle et contraignante de la femme, avant d'amorcer un nouveau changement. Les vingt-cinq femmes sont unanimes pour faire état du soulagement évident de leur mère lorsqu'elles ont commencé à s'intéresser aux garçons et à se soucier de leur propre apparence physique. Elles se sont alors rapprochées de leur mère qui, à son tour, a recommencé à soutenir et confirmer la valeur qu'elles attachaient à leur réussite.

Ces mères en fait avaient assumé ce qu'elles considéraient comme une de leurs principales responsabilités en s'assurant que leur fille se reconnaissait clairement et s'acceptait en tant que femme, et lorsque ce fut chose faite, elles purent, en toute quiétude, se remettre à soutenir l'enfant comme être à part entière. Ce en quoi elles apportèrent une contribution déterminante pour le développement futur de ces femmes, car si elles avaient continué à s'opposer aux centres d'intérêt de leur fille, si elles avaient persisté à concevoir la féminité comme totalement opposée à leurs autres aspirations, ces vingt-cinq femmes auraient fort bien pu se trouver confrontées à d'insurmontables problèmes dans l'affirmation de leur identité encore fragile — qui elles étaient et ce qu'elles voulaient être. Si ces mères s'étaient entêtées ou, pire, avaient appelé les pères à la rescousse, les vingt-cinq filles en question auraient fort bien pu se soumettre ou se révolter, et leurs motivations auraient alors évolué différemment.

Pour ces femmes, l'adolescence a représenté, par

essence, une période de clarification, au cours de laquelle elles ont non sans mal conforté l'idée qu'elles se faisaient d'elles-mêmes. Elles se sont fixé un idéal d'indépendance et de réussite. Elles ont accepté la féminité avec les corollaires du mariage et de la maternité, mais en y mettant leurs conditions. Elles poursuivraient leurs études supérieures, entameraient une carrière et se marieraient plus tard. La famille continuait à leur apporter la sécurité dont elles avaient besoin, en même temps que se manifestait leur force propre : ainsi purent-elles rejeter les conceptions traditionalistes de leur mère, fortes du soutien que leur apportait leur père mais aussi de la puissance de leur intime conviction.

Tout se passait comme si elles préparaient l'avenir : choix du père comme modèle, antipathie pour la femme « traditionnelle », préférence pour les activités mixtes, autant d'éléments annonciateurs de ce qu'elles allaient faire : fréquenter une université mixte ; choisir des études orientées vers une profession plutôt que des humanités classiques ; entretenir des relations plus étroites avec leurs condisciples hommes qu'avec leurs pairs (les hommes leur permettaient de s'affirmer, alors que les femmes avaient tendance à les trouver bizarres) ; opter pour un métier en relation avec celui de leur père et travailler presque exclusivement avec des hommes. Tous ces choix allaient intervenir durant leurs années d'université et les tout débuts de leur carrière.

8. Les années d'université

Nos vingt-cinq femmes ont atteint l'âge des études supérieures pendant ces années de crise baptisées Grande Dépression. Le nombre d'inscriptions dans les universités diminuait alors à vue d'œil. De plus en plus rares étaient les parents qui pouvaient s'offrir le luxe de payer des études à leurs enfants, même lorsqu'il s'agissait de garçons. Et pourtant, dans le cas de ces femmes, il semble qu'il n'ait jamais été question pour elles de choisir une autre voie que l'université. En évoquant leurs années de lycée, aucune d'entre elles ne fut capable de se souvenir précisément du moment où elle avait décidé de faire des études supérieures. La plupart d'entre elles devaient déclarer qu'en fait aucune décision de ce genre n'avait jamais été prise à proprement parler et que, depuis l'âge de neuf ou dix ans, le fait d'aller à l'université était apparu comme l'une des composantes inévitables de la vie qu'elles désiraient.

Elles fréquentèrent l'université à une époque de crise économique où peu de femmes recevaient une éducation supérieure et elles avaient, ancrée en elles, un idée inhabituellement claire de ce qu'elles désiraient : elles voulaient acquérir une formation professionnelle en vue d'exercer une profession puisque, en gros, elles avaient déjà opté pour cette vie. Elles auraient un travail. Elles feraient une carrière comme leur père. Cependant, bien qu'elles aient des vues extrêmement claires quant à ce qu'elles voulaient faire, cette période allait être encore plus difficile à vivre que tout ce qu'elles avaient connu jusqu'à présent. C'est qu'elles se trouvaient maintenant pratiquement livrées à elles-mêmes.

Leur environnement s'élargissait considérablement et elles abandonnèrent nombre de leurs rêves d'adolescentes les concernant elles-mêmes et leurs potentialités. Les perspectives offertes par la vie réelle leur ouvraient un choix plus vaste et les gens qu'elles avaient à côtoyer représentaient un échantillonnage de population infiniment plus varié. Elles se trouvaient plus éloignées de leur famille qu'elles ne l'avaient jamais été auparavant et l'une des tâches les plus urgentes consistait pour elles à se trouver de nouveaux soutiens et de nouveaux pôles de sécurité.

Elles savaient qu'une fois encore, elles devraient affronter un environnement où leurs objectifs et leurs projets personnels seraient ressentis comme sensiblement différents de ceux de la majorité des femmes qu'il leur serait donné de rencontrer. Elles avaient parfaitement conscience qu'une fois de plus il y aurait conflit entre ce que l'on attendait d'elles en tant qu'étudiantes et leurs propres espérances.

Le type d'études vers lesquelles elles s'orientèrent était cohérent avec leur désir de carrière. A une époque où la plupart des filles issues d'un contexte socio-économique comparable au leur préféraient fréquenter des établissements d'études supérieures pour filles, toutes sauf une optèrent pour une université mixte. Leur argument était qu'elles souhaitaient un environnement qui les mette en contact avec des hommes et qu'elles désiraient pouvoir étudier des matières que l'on enseignait exclusivement dans les établissements fréquentés par des hommes. Les dominantes qu'elles se choisirent se répartissaient comme suit :

Dominante :	Nombre de femmes à avoir choisi cette matière :	Soit en pourcentage
Gestion	7	28 %
Economie	5	20 %
Mathématiques	2	8 %
Histoire	3	12 %
Secrétariat	2	8 %
Littérature		
Culture générale	4	16 %
Divers	2	8 %
	25	100 %

L'une de ces femmes commente son choix en ces termes :

« En arrivant à l'université, il me fallut me spécialiser dans un domaine précis. J'ai étudié les possibilités qui m'étaient offertes et j'en ai discuté avec mon père et ma mère ainsi que certains de mes professeurs de lycée, j'ai finalement opté pour la gestion et les problèmes financiers. Je savais que si je voulais travailler dans le milieu des affaires, il me faudrait sûrement accepter un emploi de secrétaire. A l'époque, c'est tout ce que les femmes pouvaient espérer pour commencer, de toute façon.

« Même les infirmières et les enseignantes avaient du mal à trouver un emploi. J'avais le sentiment de connaître le milieu des affaires et de l'aimer — ce que je savais du climat et de l'esprit de compétition qui y régnait du moins ; d'autre part mon père m'avait déjà pas mal initiée aux aspects pratiques de ce milieu. Je fus enchantée de découvrir que j'étais la seule fille à avoir choisi cette discipline pour environ trois cents garçons. Ces garçons se sont d'ailleurs toujours montrés excessivement gentils et très protecteurs à mon égard. Bien sûr, il y avait quelques " cons ", mais je les ignorais délibérément. J'ai toujours trouvé des tas de gars avec qui bosser et qui acceptaient volontiers de me prendre au sérieux. De toutes les façons, mes résultats brillants ont vite fait de moi une camarade d'études recherchée. Je crois que même les " cons " furent obligés de me respecter et je n'en demandais pas plus. »

Nos vingt-cinq femmes avaient déjà unanimement rejeté l'image de la « femme féminine traditionnelle » comme modèle d'identification, mais le soin qu'elles mettaient à éviter ce genre de femmes leur permettait dans le même temps de se protéger contre l'incompréhension et les sarcasmes. Dans l'univers de la course au petit ami, elles auraient eu à s'expliquer et tenter de justifier les raisons qui les poussaient à faire ce qu'elles faisaient, bref, elles auraient été amenées à reconsidérer leur identité. De nombreuses façons, la « femme traditionnelle » constituait une menace pour le nouveau genre de femmes qu'elles avaient le sentiment d'incarner, or, beaucoup de femmes étaient traditionnelles. Et si leurs pères et elles-mêmes s'étaient trompés ? Le fait de mener carrière était-il une prérogative masculine ? Pourquoi y avait-il si peu de femmes pour réussir dans le monde du travail ? Autant de questions « traditionnelles » auxquelles elles ne voulaient pas trop réfléchir et encore moins répondre. Elles n'avaient pas besoin de doutes mais de confirmations.

Certains hommes au moins les confortaient dans leur attitude. Ceux qui, à l'instar de leur père autrefois, les trouvaient à la fois séduisantes et intelligentes. Mais dans l'ensemble, la plupart des hommes étaient à la fois moins difficiles de relations, moins menaçants et plus stimulants que les femmes. Même les « cons » pouvaient se négocier dans la mesure où, au niveau intellectuel, on pouvait toujours forcer leur respect. Or, sur ce terrain, elles avaient le sentiment qu'elles ne pourraient arriver à rien de bon avec des femmes « cons ».

Il existait un élément d'une importance cruciale pour leur succès à venir dans le management, et il était intimement lié au type de relations qu'elles établirent à cette époque : elles savaient d'ores et déjà, probablement sans se soucier de comprendre pourquoi, qu'il était possible d'entretenir avec des hommes des relations de travail fondées sur la compétence et les capacités intellectuelles, sans qu'interviennent nécessairement des liens personnels, voire une certaine sympathie. Deux hommes pouvaient jouer dans une même équipe de football au sein de laquelle ils coopéraient avec succès le temps d'un match tout en se détestant cordialement le reste du temps ; dans des circonstances bien différentes, elles pratiquaient la même attitude.

Elles racontent qu'elles ont discuté de leurs projets avec leurs parents et qu'elles ont été influencées par les arguments de ceux-ci sans toutefois qu'il s'agisse de simple reddition ou d'une quelconque soumission devant les souhaits qu'ils pouvaient formuler. Il s'agissait bien plutôt d'échanges de vues au cours desquels leurs parents ne faisaient que conforter leurs propres inclinations. Elles disent aussi que, bien qu'elles aient délibérément choisi leur père comme modèle, ce choix gardait un caractère essentiellement privé dont elles ne faisaient jamais état au cours de leurs discussions en famille. Plusieurs précisent que pour elles, le travail que faisait leur père constituait un modèle en tant que tel et qu'elles ne le liaient en aucune sorte au type d'organisation au sein de laquelle s'exerçait une telle activité. Ainsi, celle dont le père travaillait dans l'administration universitaire, par exemple, se déclarait attirée par les fonctions administratives mais sans les situer nécessairement dans le contexte de l'enseignement. Celles qui optèrent pour des études strictement littéraires indiquent qu'elles ont choisi cette orientation parce que leur père avait toujours vu dans les humanités classiques la base indispensable à toute formation professionnelle qui pourrait et devrait intervenir ultérieurement, après la licence. Néanmoins, ces femmes ajoutèrent les sciences économiques à leur programme de culture classique, et comme toutes les autres, utilisèrent leur père pour modèle de référence. Les deux femmes qui s'engagèrent dans les études de secrétariat le firent en jugeant que leur formation leur fournirait un bon point de chute dans le monde des affaires et qu'une fois entrées, elles continueraient à apprendre. De toute façon et quelle que soit l'orientation choisie, toutes établissaient un lien logique entre la préparation qu'elles envisageaient de suivre et la carrière qu'elles souhaitaient faire.

Toutes aussi travaillèrent avec acharnement. Semestre après semestre, elles gravirent les échelons et plusieurs d'entre elles obtinrent leur diplôme universitaire avec mention, voire les félicitations du jury. Au cours de ces années, toutes se vantent d'avoir eu une vie personnelle et sociale également bien remplie.

Le chemin qu'elles s'étaient tracé passait par la définition d'objectifs précis, de plans pour l'avenir, l'établissement de priorités et d'objectifs secondaires, l'engagement total dans un projet d'où étaient soigneusement écartées, sitôt que repérées, toutes tentatives de diversion. Elles essayaient, comme le dit une de ces femmes, d'éviter « les tentations offertes par des situations et des expériences nouvelles ». Quel était, se demandaient-elles, le plus court chemin pour aller de l'endroit où elles se trouvaient à celui où elles voulaient être ? Finalement, la ligne de conduite qu'elles s'étaient définie correspondait exactement aux exigences du management. Un jeune homme ambitieux tend à suivre ce genre de voie sans se poser de questions. Les jeunes femmes ambitieuses, quant à elles, auraient plutôt tendance à naître à vingt ans et ne se mettre en branle que dix ans plus tard.

Nos vingt-cinq femmes rejetèrent avec une belle unanimité ce qu'on appelle aux Etats-Unis les « sororités », préférant vivre simplement dans des foyers de jeunes filles. Elles accusent toutes ces espèces de corporations d'étudiantes de promouvoir une conception traditionnelle de la femme en contradiction avec leurs aspirations propres. L'une d'elles déclare :

« Je savais que si j'acceptais de faire partie d'un cercle d'étudiantes, je finirais inéluctablement par me trouver en opposition avec tout le groupe. Je ne croyais pas aux mêmes choses qu'elles, et l'objectif principal de mon passage à l'université n'était pas de m'y dénicher le mari idéal. Pour tout dire, nous n'avions rien de commun, elles et moi ! Et je me connaissais suffisamment bien pour savoir que je serais malheureuse et que je les rendrais malheureuses parce que je ne pourrais pas m'empêcher de leur dire à quel point je les trouvais stupides alors qu'elles avaient tout autant le droit que moi de chercher à réaliser tranquillement les objectifs qui étaient les leurs. J'ai choisi de vivre dans un foyer de jeunes filles. Les filles qui habitaient là étaient comme moi plus préoccupées de leur travail et de leur carrière future, et la vie sociale et les activités culturelles y étaient tout aussi excitantes que dans les fameuses sororités. D'autre part, je ne m'intéressais guère aux autres femmes. D'ailleurs, le fait n'était pas nouveau et c'est la raison pour laquelle j'avais choisi une université mixte et entrepris des études de gestion. Les trois dernières années j'étais présidente de mon foyer de jeunes filles et cette tâche m'a passionnée. Je travaillais avec les filles qui me ressemblaient plus. Nous avons fait beaucoup de choses intéressantes au cours de ces trois années. »

Leur refus des aspirations féminines traditionnelles était à l'époque un fait bien acquis. Pourtant ces femmes ne rejettaient pas *les femmes* dans leur ensemble, mais plutôt celles qui conformaient leur comportement aux critères de la féminité traditionnelle et qui entendaient que les autres femmes en fassent de même. Le rejet s'appliquait à un rôle et un style de comportement plus qu'à des individus, il était ancré psychologiquement dans le rejet antérieur du modèle incarné par leur mère en tant que « femme traditionnelle ». En conséquence, c'est avec la plus grande vigueur qu'elles refusèrent le sport féminin par excellence qui consiste à se livrer à la chasse aux maris. En particulier, elles rejetèrent radicalement le type de comportement exigé par un tel sport, considérant qu'il n'est pas indispensable de se montrer soumise et passive envers les hommes, et que, ce qui était encore plus grave, ce genre d'attitude compromettait sérieusement la compétitivité des femmes face à leurs homologues masculins dans le cadre du travail, cadre à la fois distinct et radicalement différent de la maison et de la famille.

Bien que nos vingt-cinq femmes s'accordent dès leur plus jeune âge à désigner les « femmes traditionnelles » comme leurs principales antagonistes, elles ne font que fort rarement état des réactions des autres, garçons ou hommes, à leur égard, mis à part le cas particulier de leur père. Lorsque arrivées à leur vie d'étudiantes elles se mettent enfin à évoquer des hommes en tant que tels, elles distinguent entre « les hommes pour elles et les autres qui ne le seraient pas ». Elles ont tendance à ranger les hommes en catégories exclusives l'une de l'autre, les « hommes bien » et les « cons ». Tout comme elles avaient établi un clivage entre les « femmes traditionnelles » et les « femmes de carrière », elles-mêmes appartenant à la seconde catégorie tandis que leurs mères relevaient de la première, elles distinguent deux types d'hommes : ceux qui les soutiennent à l'instar de leur père, et ceux qui leur refusent ce soutien.

Cependant, et ce point ne manque pas d'intérêt, elles se montraient de plus en plus convaincues qu'elles pouvaient s'en tirer avec les « cons » en se concentrant sur les motivations créées par leurs propres qualités de travail, sans forcer une amitié à laquelle elles laissaient néanmoins la porte ouverte. Sans s'en rendre compte vraiment, elles rejetaient le cheminement intérieur par lequel les femmes, consciemment et inconsciemment, faisaient d'un éventuel courant de sympathie la condition *sine qua non* à l'établissement de relations de travail. En comptant essentiellement sur leur aptitude à s'acquitter d'un travail donné comme générateur de confiance en soi, elles se forgeaient un style qui, dans l'avenir, leur permettait à la fois de supporter et de tenir pour négligeables les personnes qui leur déplaisaient ou à qui elles-mêmes déplaisaient. En résumé, elles commençaient à entretenir une précieuse distance entre leur capacité à évaluer objectivement une compétence donnée et le jugement subjectif qu'elles pouvaient porter sur la personne qui détenait cette compétence.

Les vingt-cinq sont encore unanimes pour dire qu'au cours de ces années d'université elles sont régulièrement sorties avec des garçons et que, mis à part les « cons », leurs relations avec leurs condisciples masculins furent plutôt satisfaisantes. Rétrospectivement, elles pensent que beaucoup de ces hommes ne prenaient pas leurs ambitions professionnelles suffisamment au sérieux pour leur manifester une quelconque agressivité. De leur côté, en l'absence de réactions négatives, elles considéraient en toute simplicité qu'on les prenait effectivement au sérieux. Il est fort possible qu'elles aient appliqué aux hommes en général l'attitude qu'elles avaient par rapport au comportement et aux opinions de leur père. En consé-quence de quoi elles s'attendaient à des réactions posi-tives et faisaient comme si tel était le cas, jusqu'à preuve du contraire. Beaucoup plus tard, le fait d'être implicite-ment convaincues qu'elles étaient acceptées plutôt que rejetées leur permit de traiter avec les hommes qu'elles rencontraient à chaque échelon de la hiérarchie d'une façon telle que ceux d'entre eux qui avaient à leur égard une position négative se voyaient obligés de passer à l'offensive ; ils se trouvaient contraints de soulever le problème à partir de rien de concret, n'exprimant alors que les difficultés personnelles éprouvées par eux, indi-vidus de sexe masculin, au lieu de pouvoir s'engouffrer dans la porte ouverte par les preuves plus ou moins évidentes que ces individus de sexe féminin s'attendaient justement à une réaction négative de leur part. En d'au-tres termes, elles percevaient une adéquation entre leur personne et l'emploi considéré, même si cette adéquation n'avait rien d'évident pour les autres. Une telle attitude représentait pour elles un incommensurable atout et les protégeait du piège douloureux où tombent tant de femmes qui, à force de prévoir une réaction négative, finissent par projeter leurs propres doutes sur ceux-là mêmes qui en nourrissaient déjà de leur côté, créant un cercle vicieux qu'il est infiniment difficile de rompre par la suite.

D'autre part, et à un niveau supérieur, il semble qu'une autre dynamique se soit mise en place. Arrivées à mi-parcours de leurs études supérieures, il devint patent que les motivations de ces femmes n'avaient rien à voir avec les objectifs recherchés par la majorité de leurs compagnes et cette évidence constituait une source potentielle de conflit et d'hostilité. Les autres étudiantes voyaient bien que ces femmes avaient renié ce qui était leur cause à elles, qu'elles n'étaient pas en quête d'un bon mari et n'envisageaient nullement de rentrer dans le rang comme femmes au foyer. Les étudiants, par contre, dans la mesure où ils ne prenaient pas toujours très au sérieux les ambitions professionnelles de ces vingt-cinq femmes, semblaient beaucoup moins susceptibles de déclencher les hostilités.

Dans leur étude sur la population masculine et féminine de la Harvard Business School, Margaret Hennig et Barbara Hackam font apparaître que les étudiantes essuyèrent leurs premiers déboires avec les hommes en entrant dans la célèbre école. Elles racontent comment elles perçurent certaines réticences chez les jeunes gens qu'elles fréquentaient et avec qui elles sortaient en dehors de l'école mais affirment que les réactions les plus fortement négatives vinrent de leurs condisciples non mariés. Par contre, les étudiants mariés de l'école se montraient nettement plus favorables à leur égard.

En 1964, la présence d'une femme dans l'une des plus prestigieuses écoles des Etats-Unis représentait un engagement infiniment plus grand dans le monde des affaires et de la haute administration avec la ferme intention d'y faire carrière que le fait de poursuivre des études supérieures dans une quelconque université au début des années 30. Pour les hommes non mariés en question, il semblerait que le problème ait résidé essentiellement dans la réalité de cet engagement féminin et dans la déplaisante contradiction qu'elle introduisait dans leur vision stéréotypée de la femme et d'eux-mêmes. Lorsque nos vingt-cinq femmes franchirent le pas suivant qui devait les faire effectivement entrer dans la carrière par le biais du premier emploi, elles retrouvèrent le même clivage au niveau de l'attitude des hommes qu'elles avaient à côtoyer : les hommes mariés tendaient à les considérer comme des personnes, les célibataires trouvaient qu'elles n'étaient pas à leur place ! Elles étaient là parce qu'elles l'avaient voulu, mais ce monde n'était ni ne devait être le leur.

Certaines recherches sur la vocation, acquise ou innée, ont clairement établi que la façon dont se faisait le choix d'une carrière était d'une importance cruciale pour le succès ou l'échec de cette carrière mais elles soulignent, dans le même temps, le peu de cas que l'on a fait jusqu'à présent de ce qui se passe exactement à ce moment de la vie d'un individu. Compte tenu de ces restrictions, il existe cependant un consensus pour admettre que le choix d'une carrière est le résultat de l'interaction d'un certain nombre de variables : prédispositions d'ordre psychologique, intelligence, aptitudes et talents de l'individu ; milieu socio-économique dont il est issu, ses besoins ; son expérience progressive de l'environnement où il se situe. Mais il faudrait également, dans de nombreux cas, inclure des motivations inconscientes, ainsi qu'un facteur chance considérable : en effet, des individus ne sauraient choisir dans des voies dont ils ignorent l'existence ou dont ils n'ont aucun moyen de savoir si elles leur plairaient.

Cependant, personne à ce jour n'a encore pu établir exactement le rôle relatif de chacune de ces variables au niveau du choix d'une carrière, ou même si toutes intervenaient nécessairement au niveau de chaque individu. En conséquence de quoi, alors même que l'on s'accorde à voir dans ces années d'université un moment déterminant pour l'avenir, c'est justement et malheureusement la période que l'on connaît le moins bien. Pour ne rien dire du cas particulier des femmes qui reste encore plus mystérieux, et du peu que l'on sait, seule une infime partie semble vérifiée par les faits. La variable supplémentaire que constitue le fait d'appartenir au sexe féminin et ses implications au niveau des encouragements que la femme reçoit, si elle en reçoit aucun, dans la préparation à un métier sont des problèmes qui ont à peine été effleurés.

En fait, les variables retenues par les théoriciens du devenir professionnel de l'individu comme importantes au niveau de la façon dont *les hommes* effectuent leurs choix en matière de carrière ont des relents de sinistre plaisanterie dès que l'on s'intéresse aux femmes. En effet, les théoriciens en question admettent à tout le moins que chaque individu arrive avec son bagage de connaissances théoriques et pratiques au même titre qu'il apporte son intelligence et ses talents personnels ; que les diverses pressions exercées par son environnement socio-économique se sont conjuguées pour développer en lui un certain nombre d'aspirations et d'ambitions, auxquelles il faut ajouter des dispositions pour acquérir une compétence mesurable objectivement et dont il peut faire les preuves, une conscience claire de l'importance de l'environnement auquel il aura affaire, et encore des idées relativement précises concernant ce qu'il veut faire et jusqu'où il entend aller. Etant donné les différences que nous avons exposées dans la première partie de ce livre, tout ce que peuvent dire ces théoriciens sera nul et non avenu pour la grande majorité des femmes, puisque au départ n'est prise en compte que l'expérience masculine.

En général, les femmes débarquent dans le monde du travail sans rien connaître préalablement des normes admises et recommandées au niveau du comportement, sans savoir ce qu'il faut entendre concrètement par le mot carrière et quel rôle y jouera nécessairement tel emploi particulier, sans avoir d'ambitions ni de but clairement définis concernant leur carrière propre... Pas plus que les femmes n'arrivent toutes avec les dispositions souhaitées pour l'acquisition d'une compétence objectivement mesurable et dont elles puissent faire la preuve, en raison de l'ambivalence de leur expérience antérieure avec cette alternative qui les poursuivit de l'enfance à l'adolescence : après tout, être aimée et populaire, ou bien être la première de la classe ? Les horizons étriqués ne peuvent qu'imposer des limites à la façon dont on perçoit les choses et les perspectives tronquées que connaissent les femmes quant à ce qu'elles peuvent faire ou feront effectivement rognent sensiblement l'importance d'environnements dont elles ignorent tout, au plus grand profit de quelques-uns qu'elles connaissent et dont elles sont sûres. Déjà confrontées à la difficulté de se définir dans le monde masculin du management, la difficulté de définir ce qu'elles souhaitent devenir n'en est que plus aiguë. Quand nos théoriciens avancent l'idée qu'un facteur chance, des occasions par exemple, peut intervenir de façon décisive dans le choix d'une carrière, on est en droit de s'interroger sur le bienfondé d'une telle remarque, vu l'expérience limitée et par conséquent les occasions restreintes, même de nos jours, offertes à une adolescente en matière de carrière : 90 p. 100 des femmes en activité sont encore cantonnées dans cinq branches professionnelles principales.

Depuis l'enfance, les vingt-cinq femmes sujets de notre étude ont été instruites, encouragées et soutenues par des pères qui voulaient les voir aspirer et se préparer à faire une carrière, qui leur ont transmis leur propre conception de la vie professionnelle comme faisant partie intégrante de la vie d'un individu ; qui ont agi avec elles sur la base d'une conviction jamais remise en question : elles travailleraient comme n'importe quel homme, pendant la plus grande partie de leur vie adulte.

Une étude sur les étudiantes de dernière année d'une université de renom finit par distinguer trois types d'attitude face au choix de carrière, rangeant les postulantes en trois grandes catégories : celles qui procèdent par intégration, celles qui procèdent par identification, celles qui obéissent aux circonstances.

Relève de la première catégorie la fille chez qui les ambitions professionnelles et les aspirations personnelles sont suffisamment bien intégrées pour lui permettre de se fixer un programme logique en matière de carrière, valable pour les cinq années à venir. La façon dont elle se conçoit et ses aspirations profondes sont complémentaires et cette harmonie joue pour l'intégration réciproque de la vocation professionnelle et de la vie privée. Elle manifeste des besoins aussi pressants au niveau de sa féminité que de son désir d'exercer une activité professionnelle ; mais ces besoins restent indépendants l'un de l'autre plutôt qu'ils ne se chevauchent ou se contredisent. Elle a longuement et soigneusement réfléchi aux implications respectives de ces deux types d'aspirations et se croit capable de les assumer de concert dans la mesure où ils répondent à des aspects complémentaires de sa personnalité et de l'idée qu'elle se fait d'elle-même.

Le second groupe (la moitié des cas étudiés par Rosalind Barnett, auteur de l'étude en question) manifeste une plus grande confusion au niveau des objectifs recherchés. Procédant par identification, la jeune femme voit une opposition irréductible entre ses aspirations féminines et les impératifs d'une carrière. Elle envisage donc son avenir sur le mode exclusif et opère le choix de carrière en fonction de la personne ou des personnes avec lesquelles elle fait la plus forte identification. Elle veut entrer dans telle ou telle profession parce qu'une personne qu'elle aime ou respecte énormément exerce déjà cette profession, ou bien parce que l'image qu'elle a des gens exerçant une profession donnée lui plaît beaucoup. Elle pense qu'elle peut se consacrer à une carrière un certain temps, puis être épouse pendant un autre laps de temps, puis mère, et éventuellement revenir à une carrière. Par contre, elle ne voit pas la possibilité de mener à bien et en même temps toutes ces activités contradictoires. Elle ne croit pas à l'intégration.

Entrent dans la dernière catégorie celles qui se plient au gré des circonstances, la jeune femme réellement incapable de se fixer clairement des objectifs et qui repousse au dernier moment les décisions et le passage à l'acte. Comme ses compagnes de la catégorie précédente, elle vit sa féminité et son désir de carrière comme contradictoires, mais à la différence de celles-là, elle se situe très mal dans ces domaines. Elle est susceptible de se laisser influencer pour le choix de son avenir immédiat par quiconque exerce sur elle le plus grand ascendant ou les pressions les plus fortes au moment de la décision.

Ce conflit persistant entre féminité et réussite a déjà suscité à lui seul toute une littérature. On y peut lire entre autres le témoignage de femmes à la fois mariées et occupant des fonctions de cadres, d'où il ressort que l'essentiel de leur énergie est consommé à tenter de résoudre le conflit entre leurs obligations de femmes mariées et celles de leur métier. La plupart d'entre elles déclarent qu'elles ont été obligées d'accorder la prédominance à l'un des deux rôles et que, ce choix fait, il leur a fallu apprendre à le vivre concrètement. Elles disent également qu'à terme elles devront renoncer à l'un ou à l'autre : si elles continuaient à travailler, elles essaieraient de gravir le plus vite possible les échelons de la hiérarchie et que, dans ce cas, elles ne voyaient pas où elles pourraient trouver le temps et l'énergie de sauvegarder une vie conjugale.

Parmi les quatre groupes de femmes destinés à nous fournir des points de comparaison pour la présente étude, figurait un groupe de femmes cadres travaillant dans les premiers échelons du management et dont le contexte familial et social, l'éducation et le début de carrière étaient aussi semblables que possible à ceux vécus par nos vingt-cinq femmes, à cette différence près qu'elles avaient volontairement renoncé à leur carrière au moment de leur mariage ou peu de temps après. Interrogées sur les raisons de ce choix, elles expliquèrent que le mariage et le travail étaient deux choses qu'il était impossible de mener de front, qu'elles le savaient déjà au moment où elles avaient fini leurs études, mais que, néanmoins, elles avaient voulu « essayer pour voir ». Quand elles s'étaient rendu compte qu'elles ne pouvaient pas « courir deux lièvres à la fois », pour reprendre l'expression utilisée par l'une d'elles, elles avaient renoncé à leur carrière.

A la lumière de ces témoignages, on peut se demander si la gageure de mener à bien le double rôle d'épouse-mère et de femme de carrière avec les responsabilités que cela implique sera jamais aussi simple que semblent le croire les « intégrationnistes » de Rosalind Barnett. Comment une femme commence-t-elle à résoudre effectivement le conflit féminité/réussite professionnelle avant trente ans, par opposition à ce qui se passe ensuite? L'intégration des deux est-elle seulement possible dès le départ ?

Le tribut à payer pour une telle intégration dépend nécessairement de la relation entre les époux ; il est généralement élevé, pour la bonne raison que, paradoxalement, une telle intégration n'existe pas dans les faits. La femme est obligée et s'efforce d'être à la fois une épouse et une mère, *plus* une femme qui fait un métier sérieux. Elle est celle qui travaille toute la journée à l'extérieur et rentre chez elle pour préparer un dîner de dix couverts. Elle est celle qui travaille toute la journée et porte le fardeau supplémentaire de son sentiment de culpabilité si quelque chose arrive à un enfant et qu'elle n'est pas là pour l'éviter ou s'en occuper. Elle est celle qui doit non seulement assumer deux rôles, mais encore deux sources d'angoisse qui, non contentes de s'additionner, s'amplifient l'une l'autre. Ces conditions sont celles d'aujourd'hui. Elles étaient encore pires dans les années trente lorsque nos vingt-cinq femmes entrèrent dans la carrière.

Ces femmes, au demeurant, n'appartenaient pas à la famille idéale des « intégrationnistes » chères à Rosalind Barnett. Elles étaient plus proches de la moins lumineuse seconde catégorie, celles qui procèdent par identification et considèrent qu'il n'est possible d'investir toute son énergie que sur un seul projet à la fois. Elles ont donc pris leur décision, établi leurs priorités, défini un programme les concernant — même si la méthode peut paraître un peu simpliste —, et elles s'y sont tenues, renonçant aux gratifications d'un type pour mieux s'assurer celles d'un autre. Par opposition, les « intégrationnistes » s'attelaient à la tâche quasiment impossible de trouver un équilibre trop parfait et prématuré. En effet, les premières années de la vie professionnelle d'un cadre revêtent une importance cruciale ; c'est une période où l'on apprend, où l'on fait le tri des forces utiles et inutiles, où l'on trouve l'occasion et le soutien efficace pour les mettre en valeur. C'est un labeur dur et exigeant et même si la formulation semble brutale, il faut reconnaître qu'une femme qui entame une carrière de cadre et entreprend plus ou moins simultanément d'avoir des enfants va au-devant des pires difficultés, difficultés dont il est quasiment impossible de se sortir. Et il ne sert à rien de dire que les hommes n'ont pas ce dilemme à affronter. Le problème est que les femmes l'ont.

C'est un problème dont nos vingt-cinq femmes ont décidé de remettre la solution à plus tard. Au cours de leur dernière année d'université, toutes firent des projets précis pour leur carrière après l'obtention du diplôme. La plupart obtinrent ce diplôme au plus fort de la dépression, c'est-à-dire à une période où le marché de l'emploi était pratiquement bouché. Il y avait quelques possibilités de poursuivre plus loin encore leurs études théoriques (mais la plupart des grandes écoles n'admettaient pas de femmes), or, aucune n'envisagea de continuer. L'une d'elles explique pourquoi :

« J'étais prête pour l'action car j'avais le sentiment que les études m'avaient apporté tout ce que je pouvais espérer. J'avais envie de sortir de l'école pour entrer dans la vie réelle et montrer ce dont j'étais capable. J'avais suivi la voie normale et en ce qui me concernait, j'avais exploré toutes les possibilités éducatives qu'elle m'offrait ; je ressentais le besoin de stimulations à la fois neuves et plus fortes. La recherche d'un emploi m'inspirait une sainte terreur et pourtant je ne pouvais supporter la perspective de n'en pas trouver. Je m'étais préparée à ce jour d'aussi loin que je me souvienne. C'était vraiment une rude épreuve pour moi. Il s'agissait maintenant d'affronter, dans la réalité, toutes ces choses dont j'avais réussi à me convaincre que je saurais dominer, le travail lui-même et ses implications annexes. »

9. Les dix premières années de vie active

En dépit de la crise qui sévissait en cette période de dépression, les vingt-cinq jeunes femmes trouvèrent un emploi. Vingt-trois d'entre elles firent leurs débuts comme secrétaires dans une entreprise ou dans un service financier. L'une trouva une situation dans l'administration et l'autre fut engagée comme acheteuse dans un organisme de vente au détail. Presque toutes durent ce premier emploi aux relations de leur père ou à l'influence d'amis de la famille et, dans la plupart des cas, leur poste fut spécialement créé pour elle, à titre de petite faveur consentie au père ou à l'ami en question. Leur salaire de départ tournait autour de 80 dollars par mois et elles avaient des responsabilités extrêmement limitées. Plusieurs d'entre elles durent s'inscrire à des cours de secrétariat pour apprendre la dactylographie et la sténographie pendant les vacances d'été. Tous ces postes, à l'exception de deux, se situaient à New York, qui leur semblait être la ville offrant à la fois le plus de possibilités et le moins de réticences envers les femmes désireuses de faire carrière.

Leurs réactions face à ce premier emploi furent diverses et variées, mais toutes s'accordent à reconnaître leur chance d'avoir trouvé un travail quel qu'il soit, alors que tant d'hommes se trouvaient au chômage. En tant que premier emploi, il représentait pour elles une chance énorme. Elles avaient un pied dans la place et comptaient bien avoir l'occasion de montrer ce dont elles étaient capables ; de plus, elles pourraient continuer d'apprendre. Aucune ne se souvient d'avoir jamais songé ni même désiré la situation « idéale ». Dans un premier temps, elles se satisfaisaient amplement d'avoir été acceptées.

Plusieurs d'entre elles changèrent d'emploi au cours des deux premières années de leur vie active parce que leurs firmes d'origine ne concédaient aux femmes que les tâches les plus routinières et, à la fin de la troisième année, aucune de nos jeunes femmes n'avait réussi à obtenir de véritable promotion. Les entreprises pour lesquelles elles travaillaient intéressaient l'industrie lourde ou légère, la production de biens de consommation, la vente au détail, le secteur bancaire, les relations publiques, les organismes financiers, les assurances et l'industrie chimique et toutes travaillaient pour ou sous les ordres de petits cadres masculins.

Pendant les trente années qui suivirent aucune de ces femmes ne travailla pour une autre firme. L'une d'entre elles résume parfaitement tout ce qu'ont pu dire les autres à ce sujet :

« Au cours de ma première année de vie active, j'ai quitté mon employeur pour venir ici. Après avoir travaillé quelques mois au sein de cette entreprise, j'ai été certaine qu'elle convenait parfaitement. Les gens y étaient corrects et compétents. Le travail me plaisait et j'avais un patron absolument fantastique. J'ai donc décidé de m'accrocher à cette entreprise et à mon patron parce que jamais je ne trouverais de meilleur contexte pour prouver que j'avais quelque chose dans le ventre. Je me suis dit que si je restais dans la même maison, j'aurais la possibilité d'apprendre à la connaître sous toutes les coutures, au niveau des affaires comme à celui des hommes qui la dirigeaient, et cette maîtrise parfaite serait pour moi d'une extrême importance si je voulais avoir le temps de briller dans mon travail et de m'assurer le soutien actif et indispensable de mes supérieurs. »

Une telle mentalité reflète on ne peut mieux l'attitude

du jeune cadre aux dents longues. Ce type d'homme est constamment à l'affût de la moindre occasion raisonnable de faire un pas en avant et il gravit allégrement les échelons de la hiérarchie au gré des changements internes à son entreprise. Nos femmes décidèrent donc très vite de faire leur carrière dans une seule et même entreprise et toutes donnent de cette décision la même explication. Elles déclarent s'être convaincues très tôt qu'une femme ne pouvait gravir les échelons du management qu'à la condition d'être plus compétente au grade qui est le sien ainsi qu'à ceux qui lui sont immédiatement supérieurs ou inférieurs que n'importe quel homme possible et imaginable. Cette tâche exigeait une concentration et une dépense d'énergie absolument gigantesques. Elles arrivèrent également à cette conclusion qu'il était nettement plus difficile pour une femme que pour un homme d'établir des relations de travail satisfaisantes et que, dès lors qu'elle était parvenue à le faire, le fait de changer d'entreprise et de devoir tout recommencer constituait une perte de temps sèche. D'ailleurs, elles prétendent toutes qu'à l'époque elles ne savaient pas exactement comment opérer pour mettre en place de telles relations mais que, par contre, elles n'avaient que trop douloureusement conscience du fait que toute leur énergie leur suffisait à peine pour s'acquitter brillamment de leur tâche, et qu'elles n'avaient ni le temps ni la force de s'occuper de relations humaines, au demeurant sujettes à maintes fluctuations. Là se trouve la raison initiale de leur décision de faire toute leur carrière dans la même entreprise. Mais au fil des ans, d'autres motivations devaient venir renforcer ce choix.

Au cours de leurs dix premières années de travail, les vingt-cinq adoptèrent la même stratégie explicite : bien connaître l'entreprise où elles travaillaient — les affaires qui s'y concluaient, les personnes qui en relevaient à l'intérieur comme à l'extérieur ; consacrer tout le temps nécessaire à l'établissement de solides relations de travail avec les personnes qui les entouraient et surtout, être les meilleures dans le travail qui leur incombait. Toutes considéraient leur premier emploi comme la première étape d'une route ascendante. En fait, l'une d'entre elles précise que si elle n'avait pu considérer aucun de ses trois premiers postes comme définitifs, elle aurait immédiatement abandonné toute idée de faire carrière. Cependant aucune d'elles ne se souvient de s'être jamais vue en futur P.-D.G. de son entreprise. Elles envisageaient une carrière de cadre moyen avec des responsabilités directionnelles et, à l'époque, cette ambition leur semblait largement suffisante.

Suffisante, elle l'était en ce sens qu'elles pensaient effectivement à l'avenir et que cela les aidait à supporter les frustrations de leur situation présente. Elles avaient déjà identifié l'un des facteurs essentiels de la réussite : le bon patron. Elles avaient explicitement conscience de la nécessité d'avoir une bonne compréhension du milieu où elles travaillaient, et elles consacraient toute leur énergie à s'acquitter brillamment des tâches qui leur incombaient. Elles s'estimaient compétentes et de plus en plus opérationnelles ; elles avaient le sentiment d'être capables de nouer des **relations *de travail*** valables avec leurs supérieurs, leurs homologues et leurs subordonnés qui étaient presque tous des hommes.

Excessivement conscientes de leur situation de femmes au sein d'organisations masculines ainsi que de la nécessité pour elles de s'affirmer dans un tel contexte au fur et à mesure qu'elles s'élevaient au-dessus du bas de l'échelle où prédominait une population féminine, pour arriver au management où elles devenaient les seules femmes employées à ce niveau, elles étaient convaincues que pour réussir à établir de bonnes relations de travail avec les hommes, il était fondamental de réduire au minimum les éventuels problèmes suscités par la différence de sexe et s'assurer que cette relation reste constamment centrée sur les questions d'ordre professionnel.

En résumé, elles avaient trouvé un emploi dans lequel elles forçaient généralement le respect par leurs talents et leurs aptitudes, où elles avaient la possibilité d'entretenir des relations de travail positives avec tout un chacun et où, par conséquent, elles estimaient avoir une maîtrise correcte de l'environnement. Plus important encore, grâce au fait qu'elles concentraient tous leurs efforts sur le travail à accomplir et pour lequel elles étaient parfaitement sûres d'avoir les capacités requises, rares étaient les allusions négatives à leur appartenance au sexe féminin. D'ailleurs, elles s'appliquaient volontairement à minimiser les chances de voir surgir ce genre d'allusions en cherchant à fonder systématiquement sur le travail et la compétence les relations qu'elles avaient avec les autres, ne laissant des liens plus étroits s'établir que sur cette seule et unique base.

Elles mettaient en sourdine leur véritable personnalité pour ne se définir qu'en termes de compétence. Une telle attitude contraignait les hommes concernés à traiter avec elles sur la base la plus objective qui soit — ce dont elles étaient capables —, et c'est un chapitre qu'elles contrôlaient parfaitement. Ainsi pouvaient-ils dire ensuite en toute légitimité : « Bien qu'elle soit une femme, elle est formidable dans son travail, et ma coopération avec elle peut être, doit être et sera profitable. » Arrivées à ce stade, comme le disait une femme, l'entreprise était devenue leur port d'attache, leur foyer.

Pour ce qui était de la vie à l'extérieur du travail, il en allait sensiblement différemment. Elles font état d'un net déclin dans leurs activités annexes au fur et à mesure qu'elles consacrent délibérément plus de temps à leur carrière. Les déclarations de cette femme sont représentatives de ce que racontent les autres sur le même sujet :

« Lorsque j'ai eu vingt-six ans, je me suis dit que je devais choisir entre la belle carrière dont j'avais envie et tout projet de mariage pour les quelques années à venir. Je savais que je ne pouvais pas faire les deux car, pour mener à bien la carrière que j'envisageais, j'aurais besoin d'être totalement libre de toute autre obligation. Tout mon temps devrait être consacré à mon travail. J'éprouvais plus de sympathie à présent pour les femmes qui tentaient de concilier une vie de famille *et* une carrière. Pour moi, il n'était pas question de faire de concessions sur la carrière. J'étais donc placée devant une alternative. J'ai décidé de m'accrocher à ma carrière et de me soucier de mariage plus tard. Je me disais que j'étais jeune et que j'avais tout le temps. Je savais que je ne pourrais pas me consacrer pleinement au mariage tant que ma carrière ne serait pas solidement établie. Je savais également que par ce choix, j'étais peut-être en train de faire une croix définitive sur le mariage, car les célibataires épousables qui attendent calmement après des femmes de trente-cinq ans s'avisant subitement qu'elles ont enfin le temps de se marier sont une espèce qui ne court pas les rues. J'avais par mon travail autant d'occasions que je le pouvais souhaiter de côtoyer des hommes et ma raison me disait que pour le moment, je devais me contenter de ces relations. »

La plupart des femmes se rappellent s'être tenu sensiblement le même raisonnement à peu près au même âge. Aucune ne s'est mariée avant au moins trente-cinq ans et toutes disent que pendant les dix années qui précédèrent, elles eurent à peine le temps d'entretenir des relations amicales, de prendre des vacances ou même de rendre visite à leur famille. Peu d'entre elles réussirent à conserver une relation durable avec des hommes n'appartenant pas à leur milieu de travail. La plupart d'entre elles n'avaient qu'une ou deux amies intimes, généralement des sœurs ou autres membres de la famille.

L'alternative qu'elles s'imposèrent fut moins dramatique que réaliste. L'engagement réclamé par l'employeur et auquel doit se soumettre toute personne désireuse de réussir au cours de ses dix premières années de management n'est pas une nouveauté pour le jeune homme qui arrive avec une éducation et une formation préalables, qui accepte que sa carrière passe avant tout le reste, que sa femme et sa famille soient censées s'en accommoder, qui est disposé à consacrer à son travail autant d'heures qu'il le faudra, qui est susceptible de faire des déplacements plus ou moins longs pratiquement sans préavis... et qui a besoin d'une femme pour régler tous les problèmes de sa vie domestique. Une jeune femme dans les mêmes dispositions est en compétition avec un tel jeune homme pendant la première décennie et, au cours des années 40, elle ne devait pas se contenter d'en faire autant si elle voulait avoir quelques chances de l'emporter. Elle devait impérativement faire mieux. S'engager encore plus à fond. Il lui fallait conquérir ce compliment : « Bien qu'elle soit une femme, elle est extraordinairement compétente, efficace, opérationnelle et motivée. » Le prix à payer était très élevé. Il l'est toujours.

Toutes nos femmes laissèrent clairement entendre qu'à aucun moment, au cours de cette période, elles n'eurent de liaison avec qui que ce soit de l'entreprise où elles travaillaient. Certaines précisèrent qu'elles étaient tellement épuisées après leur journée de travail qu'elles n'auraient même pas trouvé l'énergie nécessaire. Plusieurs remarquent que, dès cette époque, elles avaient déjà assimilé une leçon importante concernant les choses du sexe et celles du travail : « Ne jamais dire oui, ne jamais dire non, toujours dire peut-être. »

Elles pensaient qu'à quelques rares exceptions près, les hommes considéraient les femmes surtout comme des objets sexuels, c'est pourquoi elles croyaient important de faire en sorte — et ce n'était pas facile — que le sexe n'apparaissait pas comme radicalement exclu de leurs relations. Elles se disaient que si elles consentaient à se laisser entraîner sur le terrain des relations sexuelles, les choses se sauraient et que l'homme finirait par se sentir coupable et les rejeter. D'un autre côté, elles craignaient qu'en faisant nettement comprendre qu'il était hors de question pour elles d'avoir ce type de relations, le monsieur en question les rejette encore pour manque de féminité.

Cependant, peu d'entre elles disent avoir été capables de maintenir longtemps des relations ainsi fondées sur l'équivoque et encore se rappellent-elles la perte de temps et les efforts déployés à ce petit jeu qui menait inéluctablement d'ailleurs à une situation de conflit. Aussi tentèrent-elles plutôt d'éviter ce sujet en centrant également systématiquement leurs relations sur le travail à accomplir, sans prêter l'oreille aux insinuations, propos à double sens et autres propositions à peine masquées, ni trop se soucier, dans la mesure du possible, de l'opinion que l'on pouvait avoir d'elles.

A l'opposé de ces problèmes, une amitié profonde et durable se créa entre elles-mêmes et l'homme pour qui elles travaillaient. Toutes sans exception commencèrent comme secrétaire ou assistante et, au fur et à mesure que leur patron prenait du grade dans l'entreprise, elles le suivaient, toujours à sa demande d'ailleurs. Au cours de leurs dix premières années, toutes ces femmes pratiquèrent ce mode de promotion qui les amena progressivement aux premiers échelons du management ; au bout d'un certain temps, il était devenu clair pour tout le monde que la femme suivait automatiquement le patron dans son parcours ascendant au sein de la hiérarchie.

Lorsqu'on les interroge sur leur patron et les relations qu'elles avaient avec lui, toutes ces femmes en donnent une image ressemblant singulièrement à celle qu'elles donnaient de leur père et leurs relations sont décrites en des termes similaires. Pour chacune, il fut celui qui soutient, qui encourage, qui enseigne, celui de qui elles tenaient leur force au sein de l'entreprise. Il admirait leur compétence et leur désir de réussir. De leur côté, elles étaient leur étudiante, leur admiratrice, et celle qui le secondait. Il pensait que les femmes avaient leur place dans les affaires et soutenait ce point de vue dans ses discussions avec elle, avec les autres hommes de la maison et avec les clients. Une femme décrit bien la situation :

« Au fur et à mesure que mon patron et moi-même progressions dans la hiérarchie de la maison, il devint de plus en plus nécessaire pour moi de superviser des hommes et de prendre en charge certains dossiers, ce qui signifiait que je devais traiter avec des clients masculins extérieurs. Ma première réaction fut de me dire que je pouvais m'en tirer parfaitement avec les hommes que j'aurais sous mon autorité, mais que je ferais mieux d'éviter d'être directement en contact avec les clients. Je craignais que la plupart de mes clients masculins ne soient pas prêts à négocier en confiance avec une femme. Quand mon patron entendit cela, il s'étrangla de colère. Je me rappelle qu'il m'a littéralement hurlé après que c'était bien le moment de faire ma foutue crise d'identité. Ce qu'il fit alors me surprit beaucoup : il alla trouver tous les clients que nous avions pour leur dire qu'ils auraient affaire à moi. Il leur raconta que j'étais le publiciste le plus doué et le plus compétent de la maison et qu'ils auraient une sacrée veine si jamais leur dossier m'était confié. Avant même que j'eusse compris ce qui se passait, nos clients me réclamaient effectivement et je récupérais à moi seule plus de dossiers que mon équipe entière n'en pouvait traiter. Au fil des années se sont créés de solides liens d'amitié entre moi et un certain nombre de mes clients dont plusieurs occupent maintenant des postes de direction dans leurs entreprises respectives. Je n'ai jamais eu de véritables problèmes avec les clients. Les nouveaux étaient parfois sur la réserve, mais après que j'eus discuté un moment avec eux, ils se rendaient compte du nombre de dossiers dont je m'occupais déjà et que je faisais ce travail depuis un certain temps. Mis à part ce qu'ils pouvaient penser du fait que je sois une femme, ils savaient que je connaissais mon travail. Je dois vraiment remercier Jim (le patron) pour ma réussite. Mon père m'a envoyée à l'université et Jim m'en a tirée. »

Cette déclaration est représentative de ce que l'on trouve dans les souvenirs rapportés par les vingt-quatre autres femmes. Le patron se transformait en agent commercial au profit de la femme, partout où il l'envoyait, à l'intérieur et hors de l'entreprise. Il se servait de sa propre réputation pour établir la sienne et du respect qu'il inspirait aux autres pour la faire accepter, elle. En cas d'affrontement avec un groupe ou un individu, il jouait les tampons en s'interposant entre la femme et son opposant. Il était celui qui protège et elle celle qui est protégée. Son soutien l'aida à acquérir de nouvelles responsabilités, une nouvelle mise à l'épreuve de ses compétences, une nouvelle situation. Il la confirma dans l'importance cruciale qu'elle accordait déjà au critère de la compétence.

De telles relations constituèrent un soutien inestimable pour toutes ces femmes. Elles y puisèrent la force nécessaire pour élargir la base de leurs compétences, ce qu'elles firent avec la certitude que l'enjeu en valait la peine. Elles poursuivirent leur éducation de façon sélective, concentrant leurs efforts sur l'acquisition de nouvelles spécialisations. Une femme travaillant dans la comptabilité, par exemple, suivit des cours de perfectionnement en fiscalité. Aucune ne s'inscrivit à l'université pour passer un diplôme supplémentaire en tant que tel. Elles sélectionnèrent plutôt certains cours qui, selon elles, devaient leur permettre d'améliorer rapidement et directement leurs compétences dans un domaine donné en relation avec les fonctions qu'elles assumaient dans l'immédiat ou qu'elles pensaient assumer bientôt.

Leur stratégie consistait à acquérir une parfaite maîtrise dans le secteur où elles opéraient de façon à pouvoir s'acquitter de leurs tâches « les yeux fermés » et ensuite de préparer l'étape suivante en étudiant chez elles ou en suivant des cours du soir. A l'issue de leur terme à chaque poste occupé, elles étaient surqualifiées pour continuer dans cette branche et déjà prêtes à assumer les fonctions de l'étape suivante. Quand le patron était promu, elles étaient mûres pour le changement.

A peine passée la trentaine, ces femmes avaient sous leurs ordres un certain nombre d'hommes qu'elles supervisaient et dirigeaient dans leur travail. Elles éprouvèrent le même genre de difficultés et adoptèrent des stratégies très similaires. L'une d'elles raconte :

« Dès que j'ai commencé à avoir des hommes sous mes ordres, il m'a fallu examiner la situation et opter pour une ligne de conduite. Jusqu'alors mon expérience en matière de direction du personnel s'était limitée aux dactylos et aux chercheurs. A présent, j'allais être confrontée à de véritables fonctions de commandement. Il me fallait d'abord accepter le fait que la plupart des hommes n'aimaient pas travailler pour une femme, or j'en étais une. Ensuite, je m'étais habituée à me reposer énormément sur mon patron, ce que je ne pouvais pas faire avec des subordonnés. Enfin, je devais me faire à l'idée que eux ne me feraient sans doute pas immédiatement confiance. En fonction de toutes ces données, il me restait à définir ce que je voulais obtenir d'eux et ce qu'eux pouvaient raisonnablement attendre de moi. Ma conclusion fut qu'ils devaient apprendre et se perfectionner. Je voulais qu'ils accroissent le champ de leurs connaissances et qu'ils les utilisent au mieux, et si eux désiraient progresser, ils devaient être dans les mêmes dispositions. S'ils reconnaissaient mes talents, ils pourraient souhaiter acquérir les mêmes et par ce moyen monter dans la hiérarchie. J'en conclus que la meilleure chose à faire était d'essayer d'oublier l'aspect " homme-femme " et de faire porter tous mes efforts sur la transformation de mon département en un endroit où, de notoriété publique, les hommes peuvent venir s'instruire, travailler et être assurés d'une belle promotion. C'est la méthode que je choisis pour susciter chez les hommes l'envie de venir travailler avec moi. Elle s'avéra très efficace et je n'ai jamais eu à affronter ouvertement le dilemme homme-femme dès lors que je m'efforçais d'y répondre à l'avance. »

Compétence et maîtrise technique furent les deux mots d'ordre de ces femmes au cours de leur première décennie de vie professionnelle et leur efficacité dans le travail se trouva sensiblement renforcée par leur aptitude à utiliser leur propre compétence comme régulateur des relations humaines auxquelles elles devaient faire face et ce, non seulement sur le mode défensif, mais de plus en plus comme moyen délibérément et consciemment choisi au niveau de la direction du personnel masculin qu'elles avaient sous leur autorité. Une telle attitude impliquait l'analyse des situations, l'évaluation des besoins, l'anticipation de développements possibles et l'adoption d'un style directorial par rapport aux subordonnés sensiblement différent de celui qui régissait leurs propres relations avec leur patron. Sans doute la situation intervenait-elle à un moment où la compétence technique de l'assistant est infiniment importante pour le supérieur, déjà haut placé ; si lui-même veut encore progresser dans la hiérarchie, il doit s'entourer de gens capables de contribuer efficacement à sa réussite. De la même façon, le personnel se trouvant sous les ordres de ces femmes en milieu de carrière avait sans doute tendance à être nouveau dans la maison, jeune, et fortement motivé pour apprendre afin d'obtenir de l'avancement. Il n'en restait pas moins qu'elles étaient des femmes, pour leurs supérieurs comme pour leurs subordonnés et que, en tant que telles, il leur fallait non seulement faire preuve d'une plus grande compétence professionnelle que la moyenne, mais encore et surtout, apporter la démonstration que travailler pour elles était une opération rentable, donc qu'elles étaient capables de diriger d'autres personnes et par là qu'elles méritaient d'être promues à un niveau de responsabilité encore plus grande.

Toutefois, nos vingt-cinq femmes n'entretenaient que peu de relations avec leurs homologues masculins et le peu de contacts qu'elles avaient avec les quelques hommes intéressés tendaient à être exclusivement d'ordre professionnel. Les échanges se limitaient ainsi aux seules choses qu'elles pensaient avoir en commun avec eux : le travail et le métier. Elles adoptaient une optique et un vocabulaire masculins. Elles parlaient boutique et s'appliquaient à faire en sorte d'occulter au maximum le fait qu'elles étaient des femmes. L'une d'elles s'en explique ainsi :

« La stratégie adoptée face à la plupart des hommes avec qui il fallait traiter mais qui ne vous connaissaient pas bien consistait à se faire oublier en tant que femme pour mieux se faire remarquer en tant que spécialiste ultra-compétente. Cette attitude était très difficile à mettre en œuvre et lorsqu'il fallait travailler avec ces types, le mieux était de s'efforcer de n'être qu'un des types de la bande. Il est excessivement important de ne rien faire qui puisse vous exposer à l'occasion d'agir comme une femme. Il faut s'habiller avec soin et discrétion pour éviter de se faire remarquer, ne pas oublier de jurer une fois de temps en temps, toujours avoir en réserve quelques plaisanteries grivoises et ne jamais pleurer si l'on est attaquée. Savoir esquiver toutes les tentatives des hommes visant à vous traiter en femme ; ouvrir les portes sans leur laisser le temps de le faire à votre place, s'être assise avant que l'on vous approche une chaise, enfiler un manteau avant qu'un main courtoise ne vous tienne la manche. Vous vouliez être désirée pour vos talents professionnels, pas pour vos qualités féminines. Et en dépit de tous les efforts déployés, vous ne pouviez même pas être sûre, dès qu'un homme semblait vous manifester une certaine sympathie, qu'il en voulait à votre compétence et non à vous-même en tant que femme. Il était tellement facile d'éconduire quiconque vous manifestait de la sympathie pour la bonne raison que vous ne pouviez pas avoir confiance en ses motivations et, sacré nom, vous n'acceptiez d'hommage qu'à vos talents professionnels ! »

De tels propos peuvent sembler clairement révélateurs des problèmes et difficultés suscités par la « menace » que constituaient d'éventuelles implications sexuelles. Cependant, si, comme ces femmes le croyaient, la plupart des hommes les voyaient d'abord et essentiellement comme des objets sexuels, leur intelligence et leurs capacités n'intervenant qu'en tout dernier lieu, alors le fait d'« éconduire quiconque manifestait un peu trop sa sympathie » répondait moins à une éventuelle menace sexuelle qu'à une menace intellectuelle. Car elles étaient menacées intellectuellement, dès lors qu'était susceptible de se trouver écornée l'image qu'elles avaient d'elles-mêmes comme *femmes réussissant brillamment dans les affaires.* Bien sûr, elles avaient tendance à pousser les choses à l'absurde dans le désir de lever l'éternelle ambiguïté du « Est-ce le talent ou la femme qui l'intéresse ? ». S'il s'avérait que la balance penchait du côté de « la femme », que pouvait bien représenter ses talents ? Rien ? A quoi rimait alors le prix qu'elle avait payé pour les acquérir ? A rien ? Si elle acceptait que s'installent entre eux une relation sexuelle, pouvait-elle être sûre qu'elle valait plus à ses yeux que le simple fait d'être une femme ? Elle attachait la plus grande importance à ses propres talents et aptitudes. Elle doutait douloureusement qu'il en aille de même pour ses partenaires masculins et préférait renoncer à la reconnaissance en tant que femme pour mieux assurer sa reconnaissance en tant que chef.

Il n'y avait qu'avec leur patron, comme jadis avec leur père, qu'elles se sentaient sûres de voir leur appartenance sexuelle acceptée comme telle, et toute l'attention portée sur leur intelligence et leurs aptitudes. Durant ces dix premières années de leur vie professionnelle, l'attitude qu'elles adoptèrent vis-à-vis de leurs collègues masculins fut donc directe, réaliste, centrée sur le travail et les affaires et distante affectivement. Les essais de relations privées plus intimes se voyaient systématiquement découragés et, bien que toutes aient pu citer au moins un homme de même niveau qu'elles avec qui elles aient entretenu des rapports très amicaux, lorsqu'elles entraient dans les détails de cette amitié, c'était pour dire qu'il les avait invitées chez lui pour leur présenter sa femme et ses gosses.

Au gré de leur ascension, nos vingt-cinq femmes virent s'amplifier le champ de leurs responsabilités. Elles continuèrent à traiter avec les hommes de leur entourage sur la base du travail à effectuer, de la qualité de l'exécution et considéraient que les fonctions directoriales à un plus haut niveau ne demandaient jamais que des connaissances techniques et un savoir-faire plus approfondis. Dès lors qu'elles commencèrent à comprendre que les deux étaient à leur portée, leurs ambitions se modifièrent. Alors qu'auparavant elles avaient considéré le fait d'accéder au management comme le terme ultime de leur réussite professionnelle, l'idée qu'elles avaient les capacités requises pour prétendre aux postes de direction au plus haut niveau faisait son chemin en elles. Elles racontent qu'elles se mirent à éprouver un sentiment de « réussite » en un sens auquel elles n'auraient pas songé auparavant. Elles avaient conscience d'être solidement implantées au sein de leur entreprise, à vie si elles le souhaitaient, et pour la première fois elles étaient convaincues qu'elles pourraient toujours faire au moins aussi bien que ce qu'elles faisaient présentement. Fortes de cette confiance, elles commencèrent alors à s'intéresser aux exigences techniques requises pour des postes de plus haut niveau. Beaucoup d'entre elles indiquent qu'à cette époque, les relations qu'elles avaient avec leur patron commencèrent à changer. Elles avaient gagné une certaine autonomie et se sentaient moins dépendantes par rapport à lui, ce qui plaçait progressivement leurs relations sur un terrain de plus grande égalité. Il se montrait moins protecteur, tandis qu'elles-mêmes lui donnaient moins de raisons de l'être.

A la fin de cette première décennie, toutes avaient atteint des fonctions impliquant des responsabilités considérables et leur travail leur procurait satisfaction et gratification. Néanmoins, c'était une période au cours de laquelle elles étaient engagées corps et âme dans leur métier, au détriment de toute autre forme de vie et d'activités. Dans le cadre de leur travail, elles étaient proches de leur patron auquel elles se sentaient très liées, et travaillaient de façon satisfaisante avec les clients ainsi qu'avec les divers employés qui renforçaient encore en elles le sentiment d'être des spécialistes de haut niveau.

Au cours de ces années, elles avaient consciencieusement cherché à conforter l'image qu'elles se faisaient d'elles-mêmes et elles avaient délibérément évité d'aborder de front les questions sexuelles. Elles avaient rayé de leur vie ce type de problème, s'étaient gardées de tout engagement à caractère personnel avec leurs collègues masculins et n'avaient retenu comme valables et possibles qu'un tout petit nombre de relations de travail estimées sans danger. En agissant de la sorte, elles avaient évité d'avoir à s'affronter elles-mêmes en tant que femmes. Leur propos n'était pas de nier leur appartenance au sexe féminin mais plutôt d'esquiver la confrontation avec la réalité de cette appartenance pour ne pas risquer d'affecter leur capacité à vivre selon les priorités qu'elles s'étaient assignées.

Elles pensaient qu'à ce stade de leur carrière, leurs collègues masculins les prenaient au sérieux, reconnaissaient leur valeur professionnelle, leurs motivations et leurs ambitions. Elles n'auraient pas pu dire avec certitude si on les rangeait dans la catégorie des « gens gentils », mais elles étaient bien conscientes qu'on réagissait souvent à leur égard comme si elles étaient froides et réservées. Néanmoins, leur patron et parfois leurs clients avaient à leur égard l'attitude que l'on adopte avec les personnes humaines et chaleureuses, et c'est ainsi qu'elles souhaitaient pouvoir se considérer.

Elles abordaient le milieu de leur carrière à des postes de responsabilités de plus en plus grands. Leurs aspirations étaient également plus importantes. Pourtant, bien qu'elles fussent conscientes du changement de nature qui s'opérait dans les relations qu'elles entretenaient avec leur patron, elles continuaient à ne voir en elles-mêmes qu'une version plus convaincante et plus aboutie de ce qu'elles avaient toujours été, des femmes de carrière.

10. La maturité professionnelle

Une nette divergence entre les cinq groupes annexes utilisés pour la présente étude devait apparaître clairement au niveau de la façon dont ces femmes parlaient d'elles-mêmes, de leur carrière, et du lien qu'elles établissaient entre les deux. Pour quatre de ces groupes (les femmes ayant abandonné leur carrière à mi-parcours, mais que l'âge et le contexte social et familial rapprochaient du groupe principal ; celles qui étaient demeurées aux premiers échelons du management ; les jeunes diplômées de la Harvard Business School ; les étudiantes en dernière année du Simmons College, section gestion de l'entreprise), le problème de la carrière de cadre par rapport au mariage ne pouvait être résolu que d'une seule et unique façon : il fallait qu'une femme se conduise en homme sur son lieu de travail et en femme dans son foyer.

A l'opposé, les femmes du cinquième groupe (celui des dix femmes occupant des fonctions de hautes responsabilités mais qui n'avaient pu être définitivement retenues à cause de leur éloignement géographique) avouent avoir eu le même genre de position pendant les dix premières années de leur vie professionnelle. Ensuite, disent-elles, elles se sont délibérément orientées sur une voie nouvelle qui les a amenées à revoir leur comportement au travail et hors travail dans le sens d'une plus

196

grande unité et d'une meilleure harmonie, ce rapprochement devant leur permettre de consacrer une plus grande part d'énergie à la vie en général.

Quant à nos vingt-cinq femmes, elles avaient à l'issue de leurs dix premières années de carrière nettement défini leur identité propre, mais ce succès reposait pour une part essentielle sur l'occultation complète des éventuels conflits liés aux questions sexuelles. Affronter ouvertement ce type de problèmes les auraient contraintes à résoudre les discordances existant entre l'image qu'elles se faisaient d'elles-mêmes et les autres acceptations du rôle féminin. Leur politique d'esquive en ce domaine eut de lourdes répercussions sur leur style de comportement, les amenant en particulier à se mettre en marge de toutes formes de relations avec la plupart des hommes et des femmes qu'elles connaissaient. C'est une stratégie à laquelle, sous une forme ou sous une autre, elles se ralliaient depuis leur enfance, dans la mesure où elle leur permettait de protéger l'intégrité du personnage qu'elles pensaient et voulaient incarner. Elles tinrent leur principale source de confirmation de leur père d'abord, puis de leur patron. La bénédiction particulière que leur accordaient ces hommes de marque contribua à les protéger contre les situations conflictuelles ; elle leur permit de se considérer comme des femmes, tout en voyant confirmée leur conviction profonde que l'acquisition d'une compétence constituait un but essentiel de la vie. Elles ne niaient pas consciemment leur identité sexuelle, elles se contentaient de refuser de l'engager en tant que telle. A l'âge de vingt-cinq ans, elles avaient toutes « mis leur féminité entre parenthèses dans l'attente de jours plus favorables », pour reprendre l'expression utilisée par l'une d'elles. Leurs objectifs étaient la réussite, le succès, la reconnaissance. Elles réussirent, connurent le succès et se virent reconnues selon un cycle qui confirmait à l'infini le bien-fondé des choix qu'elles avaient faits.

Arrivées au tournant de trente-cinq ans, toutes étaient en poste aux échelons les plus hauts du management mais à ce stade, un certain nombre de facteurs qui étaient jusque-là demeurés constants se mirent à changer. Le père avait vieilli, perdu de son allant et dans quelques cas, la sénilité ou la mort étaient déjà survenues. Les relations étroites qui les liaient jadis à leur patron subissaient de profondes modifications tandis qu'elles-mêmes atteignaient une autonomie accrue dans leur travail. Au cours de cette évolution, leur façon de percevoir les résultats obtenus changea radicalement. Une de nos vingt-cinq femmes raconte :

« Jusqu'à ce que j'arrive aux fonctions de cadre, investie d'un certain nombre de responsabilités, ma philosophie de la féminité consistait à donner un maximun de discrétion au fait que j'étais une femme. Une telle attitude valait pour moi autant que pour les autres. Mon style personnel était celui des affaires, ce qui signifiait que je me conduisais en *homme* excessivement courtois. Ma tenue se voulait aussi peu provocante que possible ; je portais essentiellement des tailleurs et des robes chemisiers, fuyant comme la peste les froufrous et le rose bonbon. Quant à mon comportement affectif, j'étais persuadée que rien ne rebutait un homme autant que les femmes émotives et je m'efforçais donc de paraître aussi logique et froidement rationnelle que possible dès que j'avais à traiter avec des hommes. J'ai souvent eu l'occasion de lutter contre mes propres émotions mais sans jamais en laisser rien savoir aux autres. Puis il m'est arrivé un certain nombre de choses. J'ai commencé à me rendre compte que je n'avais plus besoin de me contrôler autant en présence des personnes avec qui je travaillais. Plus que jamais auparavant, j'avais un sentiment de sécurité par rapport à mon travail. Autant de facteurs de détente, ce dont, je crois, j'étais à peine capable. J'ai également pris conscience de ma moindre dépendance vis-à-vis de mon père ; en fait, la situation s'était plutôt renversée, c'était mes parents qui comptaient sur moi et mon père me téléphonait pour me demander conseil.

« Surtout, je crois que j'ai commencé à trouver mon métier moins gratifiant et moins stimulant. L'idée se faisait jour en moi que je vieillissais et qu'à part ce travail je n'avais pas grand-chose d'autre dans la vie. Il y avait peu de domaines que je ne dominais pas parfaitement et à ce niveau, mon travail ne m'incitait pas à l'approfondissement. J'y avais atteint un degré de compétence que je pouvais difficilement dépasser. Mon patron était passé à l'administration générale tandis que je continuais à diriger l'un des départements. Nous nous voyions de moins en moins car il n'avait que très peu l'occasion d'avoir affaire à moi.

« J'étais véritablement arrivée à un " plateau " dans ma carrière qui, dans l'immédiat, avait cessé de me passionner. Je savais qu'il fallait faire quelque chose. Je crois que, inconsciemment d'abord, le fait de n'être pas mariée tout en atteignant un certain âge me tourmentait aussi. J'avais toujours réussi à éviter ce genre de problème parce que je me voyais jeune, avec tout le temps devant moi pour me soucier de mariage, lorsque je me serais assuré une belle carrière. Mais j'en étais toujours au même point à trente-cinq ans ; les années s'étaient accumulées et voilà que j'étais réellement contrariée à l'idée que dans peu de temps je ne pourrais même plus avoir d'enfant. Ma vie professionnelle n'avait rien d'exaltant, quant à ma vie privée, elle était virtuellement inexistante. »

Toutes les autres femmes tinrent le même genre de propos, dans le fond comme dans la forme. Pour la première fois depuis de longues années, leur vie professionnelle et leur vie extérieure demandaient à être sérieusement revues et corrigées. Pour la première fois, des préoccupations liées à leur féminité faisaient vraiment surface. Il s'agissait de problèmes qu'elles avaient toujours réussi à « remettre à plus tard ». A présent ils devenaient primordiaux, dominants.

Il n'est pas facile de déterminer les causes précises de cette prise de conscience. Fallait-il l'attribuer au « plateau dans la carrière » avec son lot de routine et d'impression de « déjà-vu » ou bien au temps lui-même ? Il est probable que les deux aient joué de concert. Ces femmes se sont rendu compte que, le temps passant, elles pouvaient difficilement se permettre de remettre encore à plus tard leur réflexion sur la valeur qu'elle entendaient accorder au mariage et à la maternité. Or, une telle réflexion n'était possible qu'en prenant en compte le métier qu'elles exerçaient avec les satisfactions qui s'y attachaient et toute l'orientation qu'elles avaient donnée à leur vie :

« Finalement, j'ai dû me rendre à l'évidence suivante : je n'étais pas mariée, je n'avais pas d'enfants et je ferais sacrément bien de me dépêcher de décider si je souhaitais en avoir ou pas. Le temps qui passe me rappelait à l'ordre et il fallait bien que j'en arrive à des décisions concrètes sur des sujets que je remettais constamment à plus tard depuis des années. Au tout début de ma vie professionnelle, je m'étais persuadée de ne pas envisager de mariage dans l'immédiat afin de me consacrer entièrement à ma carrière. Mais à l'époque, j'étais encore jeune et les questions d'âge biologique m'importaient peu. Puis subitement, les quelques années de mise entre parenthèses atteignaient le chiffre douze et je me retrouvais à trente-six ans. J'avais déjà atteint le but que je m'étais fixé grâce aux décisions que j'avais prises alors que j'avais vingt-quatre ans. Sauf qu'à présent j'avais à affronter une situation de crise. J'étais suffisamment intelligente pour savoir que le fait de continuer à me bagarrer pour me hisser jusqu'aux sommets de la hiérarchie impliquerait des changements radicaux par rapport aux postes que j'avais occupés jusqu'alors mais que, aussi, l'opération pourrait bien représenter un investissement de mon temps et de ma personne semblable à celui que j'avais précédemment consenti. Or il semblait que j'étais moins affirmative qu'il y a dix ans quant à la relation que j'établissais entre mariage et carrière.

« Je me voyais placée devant un triple choix : me marier et démissionner ; me marier et rester au poste que j'occupais actuellement ; ne pas me marier et entreprendre une nouvelle étape dans ma carrière. Je savais qu'il existait encore une quatrième solution : trouver un mari d'un modèle particulièrement rare, disposé à assumer l'investissement que suppose une femme soucieuse de faire carrière. Mais je ne me sentais pas suffisamment rare moi-même pour réussir un tel mariage si d'aventure je rencontrais un homme répondant à ces caractéristiques. Quelle que soit la façon dont je tournais le problème, il fallait que je commence par décider si je voulais ou non me marier. D'une manière ou d'une autre, il semblait bien que cette question précédât celle de la carrière.

« J'en suis arrivée à la conclusion que j'avais besoin de temps, luxe que j'ignorais depuis des années. J'ai donc pris la décision de me mettre professionnellement sur la touche pour un an ou deux afin de voir ce que je pouvais faire au niveau de ma vie privée. Je me sentais en quelque sorte redevenir adolescente en me lançant dans la chasse au petit ami. Je pensais que, somme toute, il valait mieux que le problème de la maternité ne soit posé qu'après la découverte d'un mari ; d'ailleurs, je n'avais pas de prévention contre l'adoption ni contre le fait d'épouser un veuf nanti d'enfants. Mais je savais très bien que jamais je ne serais heureuse en restant à la maison toute la journée et j'envisageais, au minimum, de me cramponner à ma situation actuelle. »

Cette femme en arrivait donc clairement à la conclusion qu'il convenait d'imposer un moratoire à sa course à la carrière. Elle avait besoin de temps pour faire le point sur sa vie personnelle, évaluer ses limites et les possibilités de trouver des satisfactions ultérieures. La même stratégie devait être observée par chacune de nos vingt-cinq femmes, et pour des raisons identiques.

Il ne faisait aucun doute que, jusqu'à ce jour, elles avaient laissé en suspens un certain nombre d'aspects majeurs de leur identité propre. Le temps biologique et celui de leur carrière les rattrapaient au même moment, précipitant une crise qui les laissait toutes prêtes à reconsidérer des problèmes non résolus que leur désir de réussite et de succès avait jusque-là occultés. L'essentiel de ces problèmes convergeait sur leur inaptitude à intégrer les impératifs de la féminité et les intérêts professionnels en un tout cohérent et harmonieux. Elles en étaient progressivement arrivées à oublier le message de leur enfance selon lequel on pouvait à la fois être femme et beaucoup d'autres choses encore, et qu'il n'était pas nécessaire de se laisser imposer des limites par les injonctions édictées par les autres. En tant que cadres ou cadres supérieurs dans les années cinquante-soixante, elles avaient eu à se battre au sein d'organismes d'inspiration exclusivement masculine. A force d'être « la première femme qui et que... », elles avaient fini par tenter de résoudre le sentiment d'incongruité qu'elles percevaient chez les autres comme chez elles en agissant comme si elles n'étaient ni hommes ni femmes mais plutôt des automates excessivement intelligents, superbement efficaces et doués d'une extraordinaire rationalité. Alors que tout au long de leur enfance et de leur adolescence elles avaient cru à la possibilité d'être différente pour une femme — c'est-à-dire qu'on pouvait être en même temps une « battante » et une femme —, la réalité de leur vie professionnelle les avait apparemment convaincues d'agir comme si une femme ne pouvait prétendre qu'à l'un ou l'autre. Les deux domaines devaient rester distincts si l'on voulait éviter que l'un n'affecte l'autre à son détriment.

L'intérêt des changements qui intervinrent alors est de taille. Le thème de l'exclusive, l'opposition entre la réussite et les définitions traditionnelles de la féminité avaient été clairement posés tout au long de leur vie. Les éventuels conflits relatifs aux dichotomies féminité - réussite, sexe - carrière, qu'ils soient intérieurs ou qu'ils les mettent aux prises avec l'opinion d'autrui, elles les avaient jadis écartés grâce à une conception d'elles-mêmes qui leur permettait de se percevoir comme « rares », différentes des autres femmes. Au fur et à mesure que le chemin se faisait plus rude, qu'elles se trouvaient plus souvent en compétition avec des hommes, elles découvrirent que, quelle que soit la force de leur sentiment de ne pas être des femmes comme les autres, une femme, pour bien des hommes, restait une femme, rien de plus, rien de moins. La seule chance pour une femme était donc de faire en sorte d'apparaître le moins possible comme telle. Elles avaient ce sentiment en dépit du soutien inhabituel que leur apportait leur patron et toutes manifestèrent cette conviction en mettant délibérément en sourdine le côté strictement féminin de leur personnalité pour insister toujours davantage sur la valeur de la réussite.

Mais le problème de la féminité n'en demeura pas moins posé. Jusque-là, ces femmes avaient clairement senti que toute tentative pour résoudre ce conflit risquait de les absorber tout entières au point de tout compromettre, la carrière comme la solution à ce dilemme. A présent qu'elles savaient leur carrière plus solidement assise que jamais, l'idée d'amorcer une résolution du conflit pouvait les tenter. Alors que l'on peut observer des variantes au niveau du vécu de l'expérience, la dynamique affective impliquée et les résultats sont d'une remarquable convergence.

Toutes commencèrent par freiner leur désir d'accomplissement immédiat. Elles s'efforcèrent de se libérer au maximum dans leur travail. Dans cette optique, elles refusèrent toutes les responsabilités supplémentaires sur lesquelles elles se seraient jadis littéralement jetées ; elles se mirent à pratiquer la délégation de pouvoir alors qu'auparavant elles veillaient à conserver au maximum le contrôle des opérations. Pour la première fois dans leur vie professionnelle, elles se trouvaient avec du temps libre, et ce temps, elles en firent un usage nouveau. Elles firent « peau neuve ». Toutes évoquent l'acquisition d'une nouvelle garde-robe, plus féminine, et plusieurs prirent rendez-vous dans de coûteux instituts de beauté d'où elles ressortirent transformées avec une nouvelle coiffure et un nouveau maquillage. Elles parlent de leur décision de mettre leur apparence et leur façon d'agir en accord avec ce qu'elles étaient : des femmes. Leurs idées quant aux rôles féminins n'avaient pas changé.

Ce qui était modifié, c'était leur façon de se voir dans leur milieu de travail.

Elles arrivèrent à accepter le fait qu'elles n'avaient plus besoin d'éviter soigneusement les symboles qu'elles-mêmes et les autres associaient à la notion de « femme traditionnelle ». Elles expliquent que cet aspect était devenu très important à leurs yeux dans la mesure où, selon elles, il signifiait aux autres leur propre désir d'être perçues en tant que femmes. Elément plus important encore, elles étaient par ce biais amenées à affronter plutôt qu'esquiver les conflits suscités par le décalage entre leurs propres options et les rôles généralement admis comme conformes à la nature féminine. Se rapprochant en cela d'une attitude adolescente, elles revêtirent aussi l'uniforme de la femme, d'abord pour se convaincre elles-mêmes, et ensuite pour éprouver la légitimité des opinions et perceptions fondées sur les définitions de la féminité telles qu'elles étaient admises par les autres.

Elles racontent avoir renoué avec d'anciennes connaissances, téléphoné à des amis d'autrefois et entrepris de se bâtir une vie personnelle en dehors de leur activité professionnelle. Simultanément, leurs relations de travail subissaient un changement. Pour la première fois, des gens avec qui elles travaillaient se virent inclus dans le cercle de leurs relations sociales. L'une de ces femmes l'exprime ainsi :

« Je suis devenue une enragée des mondanités. Pour la seconde fois de ma vie. La première fois, je l'avais fait parce que j'étais censée le faire, qu'il le fallait, c'est du moins ce qu'il me semblait. Cette fois-ci, je le faisais parce que j'en avais envie. J'étais très curieuse de me voir par rapport aux autres, ce que j'étais devenue, ce qu'ils étaient devenus. N'allez pas croire cependant que je m'attendais à des miracles. En fait, je n'étais pas du tout convaincue que j'allais prendre goût à ce jeu, ni qu'il en ressortirait quoi que ce soit. Je croyais seulement qu'il fallait que je tente l'expérience pour pouvoir faire mes choix en connaissance de cause et les assumer

204

par la suite. Je pensais que les décisions que je prendrais à présent relativement à ma carrière ou à un éventuel mariage revêtiraient un caractère partiellement irréversible qui engagerait toute ma vie à venir ; je voulais donc être absolument sûre de bien savoir ce que je rejetais pour le restant de mes jours et évaluer clairement ce qu'il m'en coûterait. »

Une autre dit :

« Lorsque j'ai décidé de tourner la page pour partir sur de nouvelles bases, j'ai commencé par acheter une nouvelle garde-robe, et prendre rendez-vous chez le coiffeur. Il s'agissait là de choses concrètes, faciles à réaliser pour un début. Mais l'engrenage était enclenché. L'idée d'aller travailler sous ce nouvel équipage me pétrifiait littéralement. Les premiers jours, je me suis attiré pas mal de regards, de sous-entendus, plus quelques plaisanteries et autres sifflets admiratifs des gens qui me connaissaient le mieux. Tout le monde semblait porter sur moi un regard différent, d'ailleurs je me voyais moi-même sous un jour différent et, de plus, je prenais goût à la sensation que me procuraient ces nouveaux regards. Avec le temps, mon comportement s'est mis au diapason de cette nouvelle apparence. Je ne crois pas me tromper en disant que pour une fois on me regardait vraiment en tant que femme, et j'en éprouvais du plaisir. Je cherchais à me faire remarquer, j'avais envie d'être admirée par les hommes. Ne croyez pas que je ne mesure pas l'égocentrisme impliqué dans une telle attitude ; mais n'oubliez pas que depuis quinze ans je m'étais totalement amputée de cet aspect de la vie. Or, voilà que je retrouvais l'art de s'amuser. Une fois acquis, le plaisir s'en est un peu émoussé, mais je sais qu'à cette époque-là, j'ai changé définitivement. J'ai appris à comprendre, accepter et même aimer un autre aspect de moi-même que je trouvais... hé oui... fort agréable. Il m'aura peut-être fallu beaucoup de temps, de robes et de sifflets admiratifs pour arriver à ce résultat, mais je suis ressortie de l'opération différente, plus forte. A m'entendre parler aujourd'hui, je n'aime guère le personnage que j'étais autrefois et j'ai un peu le sentiment du ridicule ! Tant d'histoires pour découvrir que j'existais vraiment comme une personne à part entière, que j'aimais bien cette personne-là, et que les autres l'aimaient aussi. »

Au cours de cette période de semi-retraite et de la mutation qui s'ensuivit, la moitié de ces femmes se marièrent. Elles épousèrent des veufs ou des divorcés, tous pourvus d'enfants. Ces maris avaient au moins dix ans de plus que leur nouvelle épouse et aucune de ces jeunes mariées ne leur apporta de nouvel enfant. Que les autres femmes du groupe aient finalement choisi de ne pas se marier, ou que simplement l'occasion ne s'en soit jamais présentée, elles sont néanmoins restées ouvertes à l'idée d'un mariage, en dépit de leur cinquantaine révolue.

Celles qui se marièrent effectivement disent avoir décidé en accord avec leur mari de poursuivre leur carrière. Chacune voyait dans son mari un homme exceptionnel, non seulement pour avoir accepté volontiers ce type d'union, mais aussi à cause des encouragements qu'il lui prodiguait sur le plan professionnel. Elles racontent que leur mari était ravi de les voir progresser et atteindre le haut de la hiérarchie. Elles pensent que l'homme qu'elles avaient épousé les aimait et les respectait en tant que femmes chez qui la carrière n'était jamais contradictoire avec une certaine féminité. Tous ces époux, du reste, semblaient avoir une belle situation et des revenus qui, à l'époque, représentaient au moins le double de ce que gagnait leur femme.

Pour toutes ces femmes, ces changements fondamentaux intervinrent sur une période maximale de deux ans à l'issue de laquelle elles se replongèrent dans leur vie professionnelle. Elles se voyaient à présent capables d'assumer les plus hautes responsabilités au sein de leur entreprise et elles parvenaient à le formuler clairement et librement grâce sans doute au changement de cap qu'elles avaient réussi à imprimer à leur vie. Elles définissent cette période comme celle qui leur a permis de devenir des personnes à part entière, à leur maturité de femme adulte.

Il apparaît clairement que pour toutes ces femmes, il s'est agi d'une époque au cours de laquelle elles sont enfin parvenues à un accord avec leur moi profond. Elles pouvaient enfin assumer véritablement leur identité sexuelle, non plus en tant que femmes « différentes » ou « un peu spéciales », mais, y compris aux yeux des autres, leur féminité devint une part essentielle de leur personnalité propre, et cette composante de leur identité, elles réussirent même à l'intégrer à leur vie professionnelle qui y gagna cohérence et unité. Elles ne se sentaient plus contraintes de prouver constamment qu'en dépit du désavantage qui les avait fait naître femmes, elles étaient néanmoins des personnes à part entière. Elles étaient femmes *et* « chefs ». Capables d'assumer pleinement cette double identité, elles prirent la mesure de ce qu'elles étaient devenues et procédèrent à une redéfinition de ce qu'elles voulaient atteindre. Cette redéfinition n'impliqua d'ailleurs aucun changement radical dans l'optique générale de leur carrière ; il s'agissait plutôt d'une acceptation de leur personnalité propre et d'un équilibre à trouver entre les diverses composantes de cette personnalité entraînant la réhabilitation de certains aspects d'elles-mêmes qu'elles avaient auparavant soigneusement tenus à l'écart. Elles amenèrent consciemment à se rejoindre leur autonomie personnelle et professionnelle, le niveau de réussite auquel elles étaient d'ores et déjà parvenues, leur moindre besoin de dépendance par rapport à leur famille et à leur patron, et les promesses d'avenir inhérentes à leur carrière. Ce faisant, elles gagnaient une certaine liberté et la possibilité d'accepter et d'assumer des réalités qui, jusque-là, avaient été génératrices de conflit. L'occultation de leur féminité que leur comportement antérieur avait exigée fut oubliée. Désormais, elles optèrent pour un type de comportement qui mettait sciemment les autres en demeure de revoir leur conception stéréotypée et traditionaliste de la femme dans la mesure où elles apparaissaient clairement comme des femmes bien dans leur peau, tout en évoluant dans un contexte qui dépassait non moins clairement le cadre traditionnel du rôle de la femme.

Toutes ces femmes s'accordent à dire que leurs relations de travail y gagnèrent en liberté et en franchise. Alors que précédemment elles avaient consacré une grande part de leur énergie à se contrôler et à se réprimer en tant que femmes pour faire passer ce qu'elles percevaient comme un style typiquement masculin, elles renonçaient désormais délibérément à cette mascarade pour laisser libre cours à leur style personnel. Elles racontent également l'impression de soulagement et la satisfaction éprouvées à se sentir libres d'agir tout naturellement à leur guise à n'importe quel moment. L'une d'elles affirme que pour la première fois de sa vie, elle ne se sentit plus obligée de prévoir chacun de ses actes et chacune de ses paroles. Ce qui, expliquait-elle, ne signifiait nullement qu'elle ne fût plus consciente des mots et de l'effet produit, mais plutôt qu'elle ne se sentait plus contrainte d'étouffer ce qu'elle ressentait pour proférer devant les autres des propos qui ne correspondaient pas à ses sentiments. Les résultats de tels changements ne passèrent apparemment pas inaperçus. Une de ces femmes raconte :

« J'avais l'impression d'avoir plus de temps pour faire les choses qu'auparavant. Je faisais un meilleur travail et dans le même temps il était évident que les gens m'aimaient davantage. Je commençais à me rendre compte que mon ambition professionnelle s'était bornée à fonctionner comme une machine bien huilée tournant au rendement maximal. A présent que je m'étais acceptée en tant que moi-même, je me mettais aussi à apprécier les gens autant que le travail accompli. J'avais l'impression de me trouver en parfaite adéquation avec les fonctions de manager. Il s'agissait d'un mélange d'intérêt pour le travail lui-même et pour les gens qui y participaient. J'ai eu l'occasion de parcourir un livre que j'avais et qui s'intitulait en gros *Les carrières du management*. Lors d'une première lecture, j'avais taxé l'ouvrage de vaste fumisterie ; à présent, je le voyais sous un angle différent et il m'apporta beaucoup. Je me disais que maintenant je pouvais à la fois en faire plus et être heureuse. J'en étais capable. »

Finalement, elles prirent progressivement conscience du fait que leur propre besoin de se sentir en accord avec elles-mêmes les amenait à adopter un comportement qui était perçu par les autres comme plus authentique, plus honnête, et les effets d'un tel changement furent nombreux. Lorsqu'elles évoquent cette période de leur vie, elles ont fréquemment recours à l'adjectif « heureuse », alors que précédemment elles utilisaient plutôt des qualificatifs tels que « récompensée » ou « satisfaite ».

Une autre évolution intéressante intervint au cours de cette période : elle concerne le changement d'attitude à l'égard des autres femmes. Nos femmes racontent que de plus en plus, elles comprenaient que ce n'était pas tant la « femme traditionnelle » qu'elles détestaient que la compagnie des gens avec qui elles n'avaient rien en commun. Alors qu'auparavant elles s'étaient montrées réticentes pour embaucher ou chaperonner une autre femme qui pourrait bien faire partie des « traditionalistes », de peur que celle-ci ne vienne bouleverser ou mettre en péril le fragile équilibre qu'elles avaient réussi à établir dans leurs rapports avec leurs collègues masculins, elles pensaient à présent qu'en fait elles se souciaient moins d'une telle éventualité que de perdre leur statut exceptionnel de « reine des abeilles » au sein de leur équipe de travail. Elles avaient le sentiment d'avoir accédé à une situation d'exception qu'elles n'avaient nulle envie de partager et pensaient que « d'autres femmes pourraient devenir jalouses » de leur réussite. Cette opinion était commune à la plupart de nos vingt-cinq femmes qui s'accordent à dire que tant qu'elles ne furent pas « heureuses » de leur situation, elles furent incapables de se résoudre à s'adjoindre la collaboration d'autres femmes.

Au cours des quelques années qui suivirent cette mutation, toutes accédèrent au rang de présidentes ou vice-présidentes au sein de leur entreprise. Entre-temps, leurs patrons de jadis étaient eux-mêmes devenus P.-D.G. ou présidents, à moins qu'ils ne soient partis en retraite. Leurs relations fonctionnaient maintenant sur un pied d'égalité. Nos femmes célibataires définissent souvent ces relations comme une sorte de « mariage professionnel » dans lequel chacune des deux parties était à la fois dépendante et indépendante par rapport à l'autre.

Le changement intervenu dans ces relations constitue un autre aspect de la nouvelle façon dont ces femmes envisageaient leur métier. Auparavant, elles avaient été presque exclusivement concernées par le travail et la compétence professionnelle. Elles avaient été très dirigées et très directives. L'importance des qualités humaines leur apparaissait comme négligeable. Or, en cette période de mutation personnelle, elles commencèrent à déléguer à d'autres une bonne partie de leurs tâches routinières en même temps qu'elles cherchaient à persuader plutôt qu'à dominer leurs subordonnés. Elles se mirent à voir dans leurs collaborateurs des êtres humains et non des machines à travailler, et au fur et à mesure que leur propre comportement gagnait en efficacité, elles se sentaient de plus en plus capables d'assumer des fonctions plus importantes. Cette réévaluation d'elles-mêmes les amena à reconsidérer la façon dont elles percevaient les autres et à leur reconnaître des qualités et aptitudes qu'elles ignoraient jusque-là. Et de ce fait, elles améliorèrent leur propre capacité à constituer d'excellentes équipes de travail.

Si l'on compare la dernière étape de la carrière de ces femmes avec celle du groupe de femmes demeurées aux premiers échelons du management, il apparaît que la différence essentielle réside dans l'existence, à un moment donné, de ce fameux moratoire. Pour nos vingt-cinq femmes, ce moment aura correspondu à un temps de réflexion, de remise en cause, et à la prise de certains risques sur le plan personnel. Cette pause leur permit d'effectuer la transition entre une position de cadre moyen et une situation de cadre supérieur, dans la mesure où elles se donnèrent le temps nécessaire à l'acquisition de nouvelles qualités personnelles et organisationnelles. Faute de passer par ce genre d'expérience, les femmes qui restèrent cantonnées à des positions de moindre importance restèrent figées dans leur souci exclusif de compétence professionnelle. Elles s'accrochèrent à une image d'elles-mêmes et à un type de comportement essentiellement masculin tout en ne possédant que peu de qualités humaines susceptibles d'enrichir leur travail. En bref, ces femmes persistèrent dans l'idée que le conflit entre leur identité sexuelle et leur carrière était inéluctable. Elles se raidirent dans un type de comportement visant à occulter au maximum leur appartenance au sexe féminin. Au lieu d'en faire un moyen, elles en firent plutôt une fin, un modèle d'identification. Elles étaient pleines d'amertume envers les hommes qui s'étaient mis en travers de leur route, bloquant ainsi leur propre promotion. Toutes font état d'un sentiment de frustration, d'impression d'avoir été bernées. La majeure partie d'entre elles étaient restées célibataires et estimaient avoir commis une erreur en renonçant au mariage, dans la mesure où le fait d'être mariées aurait pu leur éviter d'être malheureuses comme elles l'étaient actuellement. Elles se voyaient comme des personnes froides et dominatrices mais qui l'étaient devenues plus ou moins malgré elles sous la pression d'expériences douloureuses. Elles détestaient généralement les autres femmes, dont, à leurs yeux, le « comportement typiquement féminin » gênait la réussite de celles qui voulaient faire carrière.

Le degré de connaissance, de compréhension et d'acceptation de soi-même des individualités concernées constitue le principal élément de différence entre les deux groupes. Nos vingt-cinq femmes se sont montrées capables d'évoluer sur le plan personnel comme sur le plan professionnel, tandis que les autres sont restées frustrées sur les deux plans.

D'autres différences notables entre ces deux groupes ont trait à la façon dont ces femmes vécurent le sentiment de perte lié aux années où elles se consacrèrent exclusivement à leur carrière, avec le prix payé sur le plan affectif. Nos vingt-cinq femmes se sont consciemment et systématiquement efforcées de surmonter ce sentiment de perte, sans transformer leur entreprise, leurs collègues masculins ou les autres femmes en boucs émissaires de leur insatisfaction, comme ont pu le faire les cadres moyens du second groupe. Au contraire, elles ont su affronter ouvertement le coût de l'opération en y voyant essentiellement la conséquence de leurs propres actes et décisions. Leur expérience des situations conflictuelles liées à leurs tentatives en direction de réalités telles que le mariage, la maternité, l'amitié ou leur statut de femme avait conduit la plupart d'entre elles à se sentir malheureuses, voire à sombrer dans la dépression, le tout s'accompagnant d'une nette perte d'intérêt pour le travail qu'elles faisaient. Autant de circonstances qui précipitèrent la crise personnelle au terme de laquelle chacune de ces femmes devait décider de mettre en veilleuse sa course à la réussite professionnelle pour mieux réorganiser sa vie privée. Il n'est pas en notre pouvoir d'évaluer précisément les conflits intérieurs auxquels elles ont pu être en butte. Mais il est bien certain que la sensation de détente et de liberté qui suivit cette espèce de moratoire laisse supposer qu'il leur aura fallu consacrer une belle part de leur énergie à surmonter ce type de conflit.

Reste une question aussi difficile que passionnante à laquelle il n'est pas possible de répondre de façon claire et nette : pourquoi certaines femmes ont-elles été capables d'identifier ce besoin de remise en cause et de réflexion et les autres non ?

La réponse se trouve certainement, pour une part au moins, dans la nature de l'entreprise au sein de laquelle travaillaient ces femmes et dans le soutien, le respect et la sécurisation éventuels que leurs collègues masculins étaient susceptibles de leur offrir.

Mais la solution de l'énigme réside peut-être surtout dans la façon dont elles vécurent cette enfance qui devait conférer une telle force intérieure aux vingt-cinq femmes dont nous avons suivi l'histoire. Que l'on se souvienne de cette femme racontant que la cellule familiale représentait une telle dose de sécurité que chacun de ses membres osait s'aventurer à l'extérieur et prendre des risques dans la mesure où, quoi qu'il arrive, tous se trouveraient à nouveau rassemblés. Grâce à leur famille, et plus particulièrement à leur père, elles avaient acquis la certitude que les femmes n'avaient pas besoin de se transformer en hommes pour être reconnues en tant que personnes à part entière. Arrivées à trente-cinq ans, elles avaient finalement réussi à mettre cette vérité en pratique.

Les vingt-cinq femmes bloquées au niveau de cadre moyen étaient issues de familles au sein desquelles la relation parents-enfants fonctionnait de façon essentiellement différente. Leur père, en les traitant systématiquement comme s'ils avaient effectivement eu affaire à des fils, n'avait fait que renforcer chez leur fille l'idée de conflit irrémédiable entre le statut de femme et la réussite dans une carrière d'homme. Le message que ces pères transmirent à leurs filles était que pour réussir il fallait être un homme. Leur féminité niée d'emblée, certaines d'entre elles s'étant même vu attribuer un prénom de garçon, ces femmes commencèrent à travailler, puis passèrent cadre moyen en arborant un style « copain-copain » dans le but insensé de se faire admettre comme « un des gars de la boîte ». Le problème pour elles fut que les gars en question finirent par passer avant elles, et une fois installées dans le personnage qu'elles s'étaient créé, elles ne surent que reproduire indéfiniment avec toute une série de collègues masculins plus jeunes qu'elles le seul type de relations qu'elles connaissaient. Laissées pour compte, elles ne voulurent ou ne purent jamais réfléchir au fait qu'elles étaient peut-être partiellement les artisans de leur propre malheur, et toute leur amertume et leur rancœur se fixa sur les gens « qui leur avaient fait ça ». Ainsi passèrent-elles complètement à côté de la crise des trente-cinq ans vécue par nos femmes cadres qui devaient réussir brillamment par la suite. Dans leur esprit, elles se voyaient dans un état de crise prolongé qui n'était pas leur fait, dont elles n'étaient pas responsables et sur lequel elles ne pouvaient ou ne voulaient agir directement.

L'idée qu'elles se faisaient d'elles-mêmes et le style de comportement qui en résultait niaient leur identité féminine et ce conflit n'était que trop évident. Quels que fussent les efforts déployés, l'image qui émanait d'elles n'était que trop éloignée des normes masculines qui, aussi exigeantes qu'elles soient vis-à-vis des hommes, ont néanmoins l'avantage de se situer dans un contexte d'aspirations, de formations et d'espérances communes, avec un même registre de postulats et comportements sans ambiguïté. Les femmes bloquées à des fonctions subalternes cherchèrent à se conformer à de telles normes... et échouèrent. Les autres s'appliquèrent finalement à changer ces normes... et réussirent.

Troisième partie

11. Les possibilités effectives: conseils aux femmes

Dans ce chapitre, nous en arrivons au problème crucial, à savoir: de nombreuses femmes occupant actuellement des fonctions dans le management ou envisageant de le faire sont affectées, d'une part, par les différences que nous avons répertoriées dans la première partie, et d'autre part par le fait que toutes ne sauraient être parvenues à l'âge adulte avec le bagage assez exceptionnel qui a si nettement contribué à assurer la réussite professionnelle des vingt-cinq femmes de notre étude.

Etant donné qu'il n'est pas question de modifier notre ordre d'arrivée au sein de notre famille, pas plus qu'il n'est en notre pouvoir de refaire nos familles et encore moins de revenir en arrière ou d'altérer les événements du passé, une femme peut-elle, sans posséder tous les avantages propres à nos vingt-cinq femmes, apprendre à résoudre positivement les divergences que nous avons étudiées dans la première partie, concernant les postulats de base et la façon de percevoir les choses et les comportements?

Nous le croyons. Sans ignorer toutefois la difficulté d'une telle entreprise, dont il est bien certain qu'elle nécessitera beaucoup de temps et d'efforts. Mais la chose est possible puisque nous l'avons vue réalisée.

La première étape consiste à accepter que les vestiges des différences nous poursuivent jusqu'à la fin de nos

217

jours. Il se peut que le conflit potentiel entre ses succès en tant que femme et sa réussite professionnelle condamne telle femme à se sentir perpétuellement inquiète. Telle autre restera peut-être éternellement vulnérable devant les critiques qu'elle accuse de façon plus personnelle que la plupart des hommes. Elle peut également envisager les risques du métier avec plus d'appréhension. Eprouver plus de difficulté à faire preuve d'une certaine agressivité et de dynamisme conquérant. Autant d'aspects résiduels qui ne la quitteront pas et qu'il faut savoir reconnaître et dominer. Les situations qui les ramènent en force doivent être prévues et organisées et il faut les avoir pratiquées depuis le bas de l'échelle pour savoir établir sciemment les gradations qui conviennent dans les éventuelles situations conflictuelles (vulnérabilité, risque, agressivité...).

La seconde étape est de loin la plus importante. Il s'agit de décider clairement si l'on souhaite vraiment réussir une carrière dans le management, avec ce que cela implique de compétition, avec les hommes en premier lieu et dans un contexte qu'ils comprennent infiniment mieux parce qu'il leur est familier et qu'ils s'y sentent parfaitement à l'aise. La tradition veut que les femmes ont toujours eu beaucoup de mal à prendre une décision concernant leur désir de faire carrière ou pas, et la meilleure façon d'y parvenir leur suscite tout autant d'embarras. Les outils et concepts nécessaires à l'évaluation des véritables coûts et bénéfices pour elles en tant que femmes sont absents de la plupart des manuels enseignant l'art de mener à bien sa carrière. Incapables d'analyser leurs origines, leurs acquis propres et leurs objectifs, les femmes n'ont jamais eu que peu d'influence véritable sur leur situation présente.

Même s'ils le font grossièrement, et beaucoup d'entre eux apportent le plus grand soin à l'opération, les hommes conçoivent et mettent en œuvre un certain nombre de mesures dans l'optique de leur carrière, tandis que les femmes ont tendance à nourrir une secrète rancœur concernant l'immobilisme de la leur. Les mesures élaborées par les premiers peuvent être mises en application, revues, corrigées, voire abandonnées. La rancœur, elle, est immuable.

Une femme doit être capable d'annoncer avec assurance qu'elle souhaite faire une carrière et qu'elle est prête à affronter les problèmes qu'elle ne manquera pas de trouver sur sa route. Elle doit également être disposée à faire preuve de beaucoup plus de précision que les hommes de son entourage dans sa façon de s'organiser, et surtout se montrer infiniment plus douée pour prévoir les situations susceptibles d'aggraver les pressions auxquelles elle se sent soumise. En d'autres termes, elle doit avoir clairement conscience de la nécessité qui lui est faite de se dominer elle-même et, simultanément, de dominer l'environnement qui est le sien.

Ce qui ne signifie pas qu'elle doive changer sa personnalité. Elle influera sur les événements de sa vie professionnelle bien moins en essayant de se changer elle-même qu'en tentant de contrôler efficacement l'interaction de sa personnalité propre avec le contexte dans lequel elle doit travailler. Il est peu vraisemblable que quiconque puisse ou veuille seulement faire table rase de tous les vestiges de son éducation. Mais il est beaucoup plus plausible de croire que l'on peut apprendre à tirer un meilleur parti de sa personnalité propre. La question fondamentale est de savoir si c'est ce que l'on souhaite, et dans l'affirmative, avec quelle détermination.

La réponse à cette question conduit à une série d'autres questions. Quel est le prix à payer pour une carrière dans le management et quels en sont les avantages ? L'enjeu vaut-il la chandelle? En êtes-vous bien sûre? Si la réponse est oui sans ambiguïté, reconnaissez que la plupart des hommes ont souvent fait la même, et explicitement, avant même d'entamer leurs études universitaires, ou encore à l'âge de vingt-deux ans, dès leurs premiers pas dans la carrière. Parce qu'une femme fait ce genre de réponse dans un contexte autrement difficile, il importe qu'elle perçoive infiniment plus clairement les implications de son choix. Une telle clarification se fait à partir de toute une série de questions que la plupart des femmes ne se sont sans doute jamais posées auparavant : ai-je l'intention de travailler toute ma vie? Ai-je l'intention de travailler quelle que soient les autres possibilités qui pourraient s'offrir à moi ? Que je me marie ou non, que j'aie des enfants ou non ? Si mon but à long terme est de continuer à travailler, quelle satisfaction est-ce que j'attends de mon travail? A quel genre de réussite est-ce que j'aspire réellement? A quel endroit est-ce que j'aurai envie de me trouver d'ici cinq ans, dix ans, vingt ans ?

Il peut s'avérer fort utile de commencer par se poser un certain nombre de questions à échéance de deux ou trois ans : quel genre de situation est-ce que j'entends occuper d'ici là ? Où ? Qu'ai-je besoin de savoir pour y parvenir ? Quelle expérience antérieure sera nécessaire ? Quelles connaissances de base ? Quelles qualifications seront exigées ? Quel niveau de compétence ? Quel type de relations seront importantes pour ce travail? Qui sont les personnes concernées ?

A propos de la situation présente, une autre série de questions doit être posée et recevoir réponse : où suis-je maintenant? Quel est actuellement mon nivau de connaissances, de qualification, de compétence ? Qui sont les personnes que je connais ? Quelle est leur situation ? Quelle aide peuvent-elles m'apporter ? Que peuvent-elles m'apprendre ? De quelles informations disposent-elles dont j'ai besoin ? Qui connaissent-elles susceptible de m'aider ?

Soyez aussi justes et précises que possible, car vous devez être capable d'évaluer votre expérience et vos réussites antérieures de façon à pouvoir mesurer les potentialités qui sont les vôtres. De nombreuses femmes sont d'une discrétion spontanée et irréfléchie sur ce qu'elles ont fait. Chaque nouvel emploi crée le sentiment pénible que tout est à recommencer. Surmontez résolument cette impression. Imposez-vous de faire le bilan complet de chacun des emplois que vous avez tenus. Epluchez-les consciencieusement : qu'y avez-vous appris : connaissances nouvelles, aptitudes acquises, celles plus

220

anciennes que vous avez affinées. Evaluez votre efficacité dans la mise en œuvre de ces talents. Si vous éprouvez des difficultés pour mener à bien cette opération, essayez de mettre à jour des incidents, crises ou épreuves particulières, auxquels vous avez été confrontée et que vous avez su maîtriser dans le cadre de votre travail. Comment avez-vous fait ? De quel type de qualités avez-vous fait preuve à cette occasion ? De qualités techniques ou psychologiques ? Répétez la même opération pour chacun des emplois que vous avez tenus et ensuite, examinez la liste. Elle vous révélera clairement ce que vous savez, ce dont vous êtes capable et dans quelle mesure.

Ce bilan est essentiel pour les femmes ayant atteint la quarantaine et qui se sont trouvées en dehors du marché du travail pendant une période de plusieurs années. Il l'est plus encore pour celles dont l'expérience professionnelle se situe entièrement hors du système d'entreprise. Nous avons trouvé un exemple frappant de ce phénomène de « non-prise en considération de l'expérience antérieure ». Il s'agit d'une « femme au foyer » qui avait assumé simultanément des fonctions de direction à l'échelon local puis national dans plusieurs organismes de bienfaisance. Elle avait fait ce travail pendant vingt ans et avait eu l'occasion de gérer des budgets de plusieurs millions de dollars. Elle avait levé des fonds d'une importance considérable, présidé des commissions et assemblées en tout genre, dirigé le personnel, volontaire ou salarié, de ces divers organismes. A l'issue de ces vingt années, son mari tomba gravement malade et il lui fallut chercher un travail salarié. Elle fut prise de panique. Elle ne voyait aucun métier pour lequel elle fût qualifiée et finit par se rabattre sur celui de chauffeur de taxi. Elle conduisait bien et connaissait parfaitement toutes les rues de la ville, voilà les seules qualités monnayables qu'elle se reconnût en dernière analyse. Heureusement pour elle, l'un des hommes avec qui elle avait travaillé sur des projets de financement pour les organismes dont elle s'occupait se trouvait être le directeur de l'une des grosses banques de l'endroit. A l'occasion d'une réunion de travail, elle en vint à lui parler de ses problèmes et de sa décision de se faire chauffeur de taxi. Atterré, il lui dit que l'expérience qu'elle avait acquise la plaçait largement au-dessus de n'importe quel vice-président de sa banque. Il lui offrit de l'embaucher et lui permit d'accéder par dérogation à un cycle de formation en dix-huit mois. Elle avait alors cinquante ans. Au bout de huit mois, elle avait terminé son programme et entra à la direction administrative de la banque au poste de vice-présidente pour les relations publiques.

Si vous vous trouvez dans une situation similaire et que vous ne sachiez comment procéder pour évaluer vos talents, faites-vous aider. Prenez contact avec une section de formation permanente. Trouvez un centre spécialisé dans le recyclage et l'aide aux femmes désireuses de retravailler. Utilisez vos relations.

Une fois que vous avez dressé le bilan de ce que vous avez fait et de ce dont vous êtes virtuellement capable, il vous reste à combler le vide entre votre situation actuelle et celle que vous souhaitez atteindre. Dans l'ensemble, une femme aura plus à faire qu'un homme placé dans les mêmes conditions pour parvenir à un but identique. Pour être efficace, la stratégie doit être extrêmement précise. Il faut définir chacune des étapes à franchir : par quels emplois successifs doit-elle passer ? Comment les obtenir et à quel moment ? Qui l'appuiera ? Que devra-t-elle apprendre ? Comment ? Qui l'aidera dans cet apprentissage ? Il lui faut connaître les exigences de chaque poste concerné, ce qui s'apprend sur le tas, les cours de formation à suivre, et surtout les personnes qui seront impliquées dans le processus. A qui peut-elle exposer ses projets ? Son patron est-il la personne adéquate ? Connaît-elle quelqu'un d'autre susceptible de lui être utile ? A ce stade, il faut se soucier de trouver un parrain (ou une marraine), une sorte de mentor, d'avocat, quelqu'un de plus haut placé qu'elle-même et qui puisse l'instruire, l'encourager, la conseiller, la critiquer. Pour cela, elle doit se présenter comme une personne constituant un investissement rentable, quelqu'un susceptible de renvoyer l'ascenseur.

L'approche que nous proposons diffère sensiblement de ce qui existe habituellement. Elle contribue à pousser la femme vers un début de prise en charge et de contrôle de sa vie professionnelle. Elle favorise une attitude plus active et moins résignée. A condition de s'acquitter de tout cela avec réalisme et objectivité, la femme peut décider si l'opération est rentable ou pas, et même dans l'éventualité d'une réponse négative, le fait d'avoir pris le contrôle de sa propre destinée ne peut que lui être bénéfique. Forte de la certitude absolue qu'elle n'a pas envie de faire carrière, la voilà libre de procéder à d'autres choix. Ainsi, une femme que nous connaissons finit-elle par se rendre compte que sa véritable ambition était d'économiser suffisamment d'argent pour acheter une maison et puis de « laisser tomber ». Ce point étant éclairci, elle comprit qu'il lui faudrait désormais accepter n'importe quel poste pourvu qu'il fût lucratif et rechercher activement les emplois les plus rémunérateurs sans se préoccuper des méandres de sa carrière. Un tel choix revêtait pour elle une importance cruciale, dans la mesure où il la libérait de bien des sujets d'angoisse. Elle cessa de se battre pour la gloire et sa décision fut l'aboutissement naturel d'une démarche dont la logique obéissait à des critères qui étaient *les siens*.

Une autre femme, chez qui le désir de faire carrière ressortait clairement, se fixa une stratégie bien précise : accepter des emplois moins rémunérateurs dans la mesure où ils constituaient une étape importante vers le poste qu'elle visait ultérieurement. Elle jugea le revenu immédiat en fonction des gains potentiels et vit que le temps jouait largement en sa faveur. Dans certains secteurs de l'entreprise et de l'industrie, un tel investissement sur l'expérience est sans doute le plus valable que l'on puisse faire.

L'absence d'objectifs précis en matière de carrière peut conduire une femme à faire du salaire le critère essentiel pour juger de son échec ou de sa réussite. Certes l'argument demeure toujours important, mais il ne doit pas constituer le seul et unique critère de décision.

Mais, dira-t-on, comment peut-on fixer des objectifs à échéance de plusieurs années ? Comment peut-on être sûr qu'ils correspondront à nos aspirations d'alors ? Faute de posséder cette certitude, à quoi riment les étapes intermédiaires ?

Si tel est le cas, et cette éventualité est loin d'être rare, il faut garder présentes à l'esprit quelques considérations d'ordre plus général mais d'importance non négligeable. La première concerne l'investissement excessif dans un domaine technique particulier. Si une telle attitude a pu contribuer un certain temps à asseoir la légitimité d'une femme, fournissant la preuve irréfutable de son droit à occuper tel poste, malheureusement cette compétence technique particulière ne pourra que continuer à assumer ce rôle et rien de plus. De plus, les possibilités de promotion à l'intérieur d'une même fonction sont nettement limitées. La progression commence à jouer lorsque l'on quitte un secteur pour un autre.

La première étape vers une définition de l'objectif visé implique donc une prise en considération active d'autres fonctions que celles que l'on assume dans l'immédiat. Quelles sont ces fonctions ? Quel est leur lien avec le travail que vous faites actuellement ? Quelle relation y a-t-il entre la production et les ventes, par exemple, ou bien entre les ventes et le marketing ? Entre la politique financière et la planification ? Quels sont les véritables objectifs définis pour l'entreprise ? Quels secteurs de l'emploi au sein de l'entreprise offriraient la confrontation la plus utile aux activités diverses qui s'y déroulent? Quels secteurs d'activités permettraient l'expérience minimale exigée par cette entreprise ?

En d'autres termes, l'objectif final n'est défini que dans ses grandes lignes : avancement, accroissement des responsabilités, succession de postes de plus en plus difficiles et complexes. Le but immédiat, lui, est d'élargir le champ de son expérience, de développer ses compétences et de montrer ses talents dans un certain nombre de secteurs aussi diversifiés que possible. Plus important encore est le fait d'accroître le nombre et l'éventail de ses relations de travail, de se familiariser avec les changements de fonction et de gagner de l'assurance dans l'art de se former à des tâches que l'on connaissait mal ou pas du tout.

En ce qui concerne les techniques formelles de la planification et de la définition d'objectifs, il existe un certain nombre de moyens pour accroître sa compétence : cours de formation extérieurs, ou chez soi, par correspondance ; le travail avec un patron ou un collègue bienveillant sur un projet nécessitant organisation dans le temps et programmation précise de la mise en œuvre ; la participation à un cycle de planification, quitte à prendre sur son temps personnel. Sans parler des nombreux ouvrages de référence que l'on peut lire ou consulter dans les instituts de formation permanente.

Autre qualité importante : l'aptitude à cerner les problèmes, les analyser, les résoudre. La plupart des gens sont tout à fait disposés à trouver une solution aux problèmes qui se posent dans leur travail. Sinon, ils ne seraient même pas employés. La qualité particulière qui permet de distinguer un manager efficace du commun des employés est moins la bonne volonté dont il fait preuve pour résoudre les problèmes au jour le jour que sa capacité à les prévoir et à tenir prêtes les alternatives qui permettront soit de les éviter soit de les surmonter. Dans le cadre de son travail, une femme désireuse d'apprendre pourrait circonscrire un problème potentiel et tenter d'évaluer les probabilités pour qu'il intervienne effectivement. Elle pourrait aussi analyser son impact si tel était le cas : qui et quoi s'en trouverait affecté, quels changements cela apporterait-il ? Elle pourrait ensuite rechercher les diverses méthodes permettant de le circonvenir ou le résoudre le moment venu. Il lui faudrait alors discuter avec plus compétent qu'elle-même de ce qu'elle aurait fait. D'autre part, dans la mesure où la résolution de problèmes représente une activité qui se mène généralement au sein d'une équipe, une bonne compréhension de la dynamique de groupe et une certaine pratique du travail en équipe et du leadership sont de première importance. De nombreuses recherches ont été effectuées en ce domaine et si l'art de vivre les relations nécessaires au sein d'une équipe s'acquiert par l'expérience, le processus est lent et souvent difficile. L'apprentissage des techniques propres au travail de groupe par la combinaison de son expérience personnelle et des lumières acquises grâce aux autres favorise le développement d'une certaine intuition par rapport aux événements.

Définition des objectifs, planification, résolution des problèmes : autant de talents qui se peuvent acquérir volontairement et s'étudier de façon formelle. Cependant, leur utilité et leur efficacité est souvent largement dépendante des relations de travail que l'on a su établir avec les autres, patrons, collègues ou subordonnés.

Que représentez-vous réellement dans l'échiquier informel de ces relations humaines qui se superposent inévitablement à la pyramide officielle de la hiérarchie ? Comment êtes-vous perçue ? Par qui ? Quelle peut être l'utilité ou l'importance des gens, quelle aide peuvent-ils vous apporter dans l'optique des objectifs à court et long terme que vous avez fixés à votre carrière ?

Les hommes ont la mainmise sur ces réseaux parallèles d'influence pour la raison bien simple qu'ils y sont largement majoritaires. Bien que marginales par rapport à ces systèmes informels, et ayant par conséquent tout intérêt à ne pas les laisser fonctionner à leur désavantage, les femmes oublient souvent de les prendre en considération. Quant à celles qui en mesurent l'importance, elles sont fréquemment indécises quant à l'attitude à adopter. Les deux premières parties de ce livre avaient pour but d'améliorer la perspicacité et la compréhension de chacune, mais il revient à chaque femme qui souhaite faire carrière dans le management de traduire dans les faits et dans les actes ce nouvel acquis. Ce qui signifie que les femmes doivent commencer à nouer et entretenir des relations sur le lieu de travail, en deçà et au-delà des personnes qu'elles ont à côtoyer quotidiennement pour les besoins du service. Il leur faut se mettre en quête des individus clefs, ceux qui auront un rôle important à jouer dans leur prochaine promotion. Simultanément, les femmes ont besoin de se forger un réseau de relations parallèles bien à elles, et notamment des liens avec les autres femmes travaillant dans l'entreprise. Marginales par rapport aux infrastructures informelles dominées par les hommes, les femmes doivent trouver d'autres sources de soutien, de conseil et d'information pour court-circuiter les réseaux masculins et l'une des meilleurs façons d'y parvenir passe par la constitution d'un groupe d'entraide formé d'autres femmes.

Pour assurer le bon fonctionnement d'un tel système, il faudra que les femmes acceptent de renoncer à rivaliser entre elles sur des bases irréalistes. Par exemple, au lieu de tomber dans le piège de la compétition pour être « choisies » avec toutes les implications sociales et psychologiques que cela comporte, les femmes devraient admettre une bonne fois qu'il existe des emplois intéressants pour les femmes compétentes et que le soutien, l'aide et les conseils d'autres femmes peuvent être extrêmement importants pour y accéder. Un tel système peut aider les femmes à avoir connaissance des possibilités d'emploi dans d'autres secteurs de l'entreprise. Il peut également leur permettre de savoir quels patrons masculins se montrent volontiers féministes, ont de l'influence et seraient disposés éventuellement à aider et conseiller d'autres femmes que leurs propres subordonnées. S'il fonctionne bien, ce système informel contrôlé par les femmes peut être une source non négligeable d'information et d'aide effective.

Voilà qui pose des problèmes tels que celui de l'aptitude à faire confiance, à partager, à dépendre de quelqu'un d'autre. Marginales par rapport au système dominant, les femmes ont souvent tenté d'assurer leur propre survie en se forgeant un contexte de travail où elles dépendent pleinement et uniquement d'elles-mêmes. Les effets secondaires d'une telle stratégie sont en complète contradiction avec les exigences d'un poste de management. A ce niveau, le travail consiste essentiellement en des tâches de coordination et de direction, ce qui requiert de la part de celui ou celle qui les assume confiance et dépendance par rapport aux autres, collègues et subordonnés en particulier, ainsi que la pratique de la délégation de pouvoirs. Etre chef suppose que l'on soit capable de dépendre d'autres personnes et de leur faire confiance. Ce qui signifie que l'on adopte un comportement propre à leur donner cette impression et que l'on soit apte à créer un climat suffisamment ouvert pour susciter une motivation au travail.

Pour qui n'a aucune expérience de la chose, le fait de dépendre d'autres personnes semble relever de la gageure, car un chef qui fait confiance à ceux dont précisément il dépend dans son travail doit, de façon apparemment paradoxale, fixer les objectifs et élaborer des plans de travail avec une clarté qui ne prête le flanc à aucun malentendu quant aux tâches à accomplir, aux exigences et aux compétences requises pour les mener à bien. D'autre part, un chef digne de ce nom a besoin d'être suffisamment accessible pour que ses subordonnés se sentent libres de venir solliciter aide, conseils ou soutien pour la réalisation des objectifs fixés.

Le fait de prendre le risque de dépendre d'autres personnes en leur déléguant certaines responsabilités devient beaucoup plus facile dès lors que l'on sait clairement qu'il n'est nullement question de confiance ou de dépendance au niveau personnel mais de foi en la capacité d'un subordonné à s'acquitter correctement d'une tâche donnée dès lors qu'il a une compréhension claire et nette de ce qu'on attend de lui.

Pour qu'un tel système fonctionne de façon satisfaisante, il faut que l'information circule régulièrement et harmonieusement entre les personnes concernées et que leurs relations soient exclusivement liées aux objectifs fixés et aux responsabilités confiées. Il n'est pas possible de changer constamment les consignes et le mode de relations ni de les organiser de façon formelle pour les laisser glisser ensuite vers un style plus informel et s'attendre cependant à un fonctionnement logique et sans accroc. Les contradictions sont génératrices d'ambiguïté, l'ambiguïté crée une certaine angoisse et l'angoisse pousse aux erreurs. Erreurs qui, à leur tour, nourrissent chez celui qui dirige le sentiment que l'erreur de départ a consisté à ne pas faire les choses soi-même. Ce genre d'attitude est particulièrement fréquent chez les femmes ayant une longue expérience des fonctions de surveillance et qui sont de ce fait singulièrement visées par les accusations d'incapacité à déléguer leurs pouvoirs ou à faire confiance aux autres.

Le sentiment de sécurité d'une « chef » ne peut reposer que sur la mise en œuvre d'une structuration efficace des objectifs, tâches, responsabilités et relations humaines, ainsi qu'une définition sans ambiguïté des normes de réussite. Le fait qu'elle soit ou ne soit pas capable de s'acquitter de tous les aspects du travail n'a rien à y voir. Seule une telle structuration lui permet de contrôler efficacement la réalisation ponctuelle des objectifs fixés.

La qualité des relations qu'il est nécessaire de promouvoir constitue un problème trop souvent escamoté en raison des difficultés qu'il suscite. Son importance est pourtant primordiale dans un travail d'équipe. Pour une femme isolée dans des groupes à dominante essentiellement masculine, la question devient même cruciale.

Trouver un style efficace sans sombrer dans le genre trop « masculin » (dureté, brutalité, agressivité) ni trop « féminin » (faiblesse, hyperémotivité, indécision, manque d'initiative), voilà le secret pour les femmes qui travaillent avec des hommes. Comment fixer des normes qualitatives aux relations que l'on désire entretenir avec ses subordonnés si l'on n'a aucune certitude quant au style à adopter pour soi-même ? Si vous vous y essayez néanmoins, combien de fois allez-vous trahir vos propres contradictions ? Quelle proportion de doute allez-vous laisser paraître, voire susciter ?

Au cours de la seconde partie, nous avons étudié le cas de vingt-cinq femmes ayant accédé aux plus hautes responsabilités dans leur entreprise. Nous nous sommes penchées sur le style adopté par elles entre vingt et trente ans et avons constaté les changements intervenus à l'approche de la quarantaine. Au début, elles n'accordaient pratiquement d'importance qu'à la valeur professionnelle et aux nécessités du service pour justifier l'existence de relations de travail. En d'autres termes, elles éliminaient le facteur personnel en proclamant la priorité des motivations professionnelles.

Il est fréquent qu'une femme extrêmement compétente ait à entretenir des relations de travail avec un homme — patron, collègue ou subordonné — qui lui conteste le droit de se trouver au poste qu'elle occupe. Il peut, par exemple, tenter de faire glisser systématiquement leurs rapports dans le moule traditionnel de la répartition des rôles masculins et féminins. Lui dirige, elle n'est qu'une subalterne. Elle est une femme, pas un chef. Lorsque survient ce genre de situation, la meilleure stratégie consiste à ramener imperturbablement la conversation sur le travail à faire. Et sans désemparer. En se présentant comme une personne dont le souci principal est d'obtenir les meilleurs résultats possibles, elle place l'homme en question devant une alternative : ou bien il accepte de situer leurs relations sur les bases qu'elles a choisies ou bien il refuse sa collaboration, ce qui équivaut à avouer clairement que les motivations professionnelles sont loin d'être un souci prioritaire chez lui. Une telle éventualité peut même lui créer un certain nombre d'ennuis, voire compromettre sa propre carrière. S'il vous arrive d'être la femme impliquée dans ce genre d'histoire, tâchez de bien contrôler vos réactions. Ne vous mettez pas en colère. Ou du moins, ne la laissez pas paraître. Prévoyez les incidents susceptibles d'intervenir et réfléchissez à l'attitude que vous adopterez. Lorsqu'ils surviendront effectivement, vous gagnerez plusieurs secondes d'un temps précieux en vous disant : « Et voilà ! Je m'y attendais. C'est arrivé et je suis bien sûre que ce n'est pas la dernière fois. Alors, si je continuais mon travail ? »

Si de tels incidents surviennent comme de bien entendu

en public alors que vous êtes la seule femme présente, il est encore plus important de vous abstenir de toute réponse. Si vous répliquez dans l'espoir de voir d'autres hommes prendre votre parti, vous risquez d'être bien déçue. Au mieux, vous obtiendrez leur silence, qui ne sera pas d'un grand secours pour votre moral. Au pire, il s'en trouvera un ou deux pour se liguer activement avec votre pourfendeur surtout si votre propre réaction visait à l'envoyer au tapis.

Alors ne répondez pas. En ignorant l'incident, vous évitez aux autres un fardeau dont ils ne veulent pas et que, de toute façon, ils refuseront d'assumer dans la mesure où il leur faudrait soutenir une réaction qui défie l'image qu'ils se font d'eux-mêmes en tant qu'hommes. C'est un combat qu'ils vous laisseront livrer toute seule parce que, en votre présence, vous une femme, jamais ils ne briseront l'alliance sacrée. Si vous désirez obtenir le soutien d'autres hommes, ce n'est pas en le sollicitant que vous l'obtiendrez mais en leur prouvant que vous êtes capable de survivre à l'épreuve.

Cet exemple nous amène naturellement à évoquer le fonctionnement des groupes masculins, les règles tacites qui y sont observées ainsi que leurs rôles et leurs structures implicites.

L'une des fonctions implicites du groupe est de renforcer chez ses membres le sentiment d'une identité commune tout en confirmant leur identité d'individus. Vous êtes membre du groupe, vous en faites partie, vous êtes dans le coup, vous partagez cette identité de groupe et réciproquement, cette identité commune vous permet d'affirmer votre identité propre dans un sens favorable à l'estime de soi. Le statut du groupe, sa bonne réputation sur le plan de la réussite et son exclusivité contribuent largement à déterminer cette volonté de partager l'identité du groupe tout en vous permettant de mieux affirmer la vôtre.

Et maintenant, réfléchissez-y : statut, considération, reconnaissance, influence, autant d'atouts dont le groupe peut vous aider à augmenter la réalité, pour le plus grand bénéfice de l'estime que vous vous portez à vous-même.

Est-il vrai que la société nous ait transmis, tout au long de notre vie, la notion d'inégalité entre l'homme et la femme ? Est-il vrai que cette notion mêle inextricablement statut social et statut sexuel ?

Soit une femme pénétrant pour la première fois au sein d'un groupe strictement masculin : le statut de l'homme s'en trouve-t-il implicitement menacé, sur le plan sexuel, social, et intellectuel ? Comment les hommes vont-ils réagir ?

Selon le sentiment qu'a un homme de sa propre sécurité quant à son statut social, sexuel et intellectuel, avec toute la complexité des relations qui lient ces trois notions, sa réaction peut aller de l'accueil chaleureux que l'on réserve à une nouvelle venue aux potentialités prometteuses, à la curiosité de voir si elle se montrera à la hauteur, en passant par le besoin de mettre ses possibilités à l'épreuve, voire, dans les pires cas d'angoisse misogyne primaire, à des tentatives systématiques pour la remettre à sa place, l'exclure, dans le but de protéger le statut purement masculin du groupe et, ce faisant, détourner la menace que la présence d'une femme compétente constitue pour une identité sexuelle mâle quelque peu précaire.

Malheureusement, la majorité des hommes ne se bousculent pas dans le premier groupe. Ni dans le dernier d'ailleurs. Ils se répartissent plutôt autour de la moyenne, ce qui signifie qu'il existe certaines normes de comportement dominantes au sein de ces groupes.

La présence d'une femme va modifier l'identité du groupe qui cessera d'être totalement masculin. Or, la tradition veut qu'une présence féminine soit considérée et ressentie, même si ce phénomène n'est pas entièrement conscient, comme une sorte de déclassement au niveau social et sexuel susceptible d'écorner les vertus d'affirmation de sa propre identité que procure habituellement l'appartenance à un groupe. Cependant, cette même femme est aussi susceptible de faire progresser le groupe auquel elle s'intègre sur le plan intellectuel. En effet, elle va servir de révélateur pour les motivations au travail du groupe en question. Dans quelle mesure la priorité sera-t-elle donnée aux tâches à accomplir ? Dans quelle mesure le grand pôle d'intérêt va-t-il au contraire devenir ce qui, à leur sens, représente un déclassement? Il y a de fortes chances pour qu'ils n'en sachent rien eux-mêmes, car il ne faut pas oublier que ces problèmes ne sont jamais vécus sur le mode conscient et réfléchi. Loin de prendre une forme rationnelle, ils sont essentielle-ment affaire de sensibilité et d'amour-propre. Aussi les hommes du groupe concerné vont-ils mettre l'intruse à l'épreuve et ce, à trois niveaux : intellectuel, social et sexuel.

Du point de vue social, les examens de passage sont tou-jours liés à la vision traditionnelle et stéréotypée des rôles féminins : aller chercher du café, classer les sten-cils, devenir la « secrétaire », envoyer des circulaires de rappel, organiser l'espace à habiter, faire faire les photo-copies. Les hommes guetteront les éventuelles réactions émotives, voire susciteront la crise de larmes. Autant de petits jeux auxquels ils vont se livrer l'un après l'autre avec le but plus ou moins avoué de « réussir à lui faire ça ».

Refusez de jouer. Ces petits tests liés à la répartition des rôles correspondent le plus souvent à des choses qui doivent bien être faites par quelqu'un. Décidez de celles que vous prendrez en charge, annoncez-le et dites claire-ment que vous supposez qu'un autre s'occupera des cir-culaires ou de la reproduction des documents, un autre encore de l'agencement de l'espace. Ne refusez pas d'aller chercher le café ou de garder les stencils. Contentez-vous de signaler qu'il vaut mieux établir un roulement, que vous vous en chargez cette semaine et quelqu'un d'autre pourra le faire la semaine prochaine. Ne laissez sous aucun prétexte ces petites choses se transformer en épreuves tests. Puisqu'il faut bien que quelqu'un s'en occupe, participez à une saine répartition. Ne vous éner-vez pas, soyez réaliste et surtout, ne dramatisez jamais l'incident au point de faire une crise de nerfs ou de fondre en larmes. Vos provocateurs en sortiraient les grands gagnants tandis que vous feriez figure de perdante.

Le même petit jeu devient nettement plus problématique quand il se situe sur le plan sexuel, en particulier si les protagonistes se trouvent mieux placés que vous dans la hiérarchie et jouissent d'une influence prépondérante. La première stratégie et la meilleure consiste à opposer la force d'inertie. Vous ne voyez rien, n'entendez rien, ne comprenez rien. Vous êtes tellement absorbée par votre travail que vous avez tendance à répondre aux propositions par un : « Quelle sera la progression du chiffre d'affaires dans votre secteur, ce mois-ci ? » Prévoyez un certain nombre de réparties strictement professionnelles que vous utiliserez dans ce genre de situations. Avec un peu d'entraînement, vous réussirez même à les servir avec le sourire. N'oubliez pas que nier l'échec constitue bien souvent la base du système de défense pratiqué par les hommes : tantôt l'on gagne, tantôt l'on perd, mais perdre une bataille n'est jamais perdre la guerre. Alors, ne croyez pas que vous allez provoquer une grave blessure d'amour-propre en repoussant d'emblée les éventuelles avances qui vous seraient faites. Le monsieur s'en remettra facilement. Les véritables problèmes commencent lorsque vous encouragez le processus. Vous vous sentez flattée, vous aimez bien le marivaudage à moins que les phrases à double sens et autres plaisanteries grivoises ne vous amusent franchement, et vous aguichez le monsieur. Puis les choses vont trop loin et vous voulez les arrêter, ce qui entraîne d'inévitables maladresses. A ce stade, l'amour-propre de votre partenaire peut être véritablement engagé et ses réactions désagréables, voire préjudiciables. Ne laissez pas s'enclencher un tel processus.

Dans le cas où les avances persisteraient et deviendraient plus pressantes, si l'homme dispose de pouvoirs importants, sachez reconnaître qu'il ne s'agit plus du tout d'un petit jeu. Si vous cédez, c'est d'accord, votre carrière est assurée, sinon autant en faire votre deuil. Vraiment ? Essayez donc pour voir. Mais faites-le rationnellement, en vous disant que de toute façon, si vous n'avez pas envie de céder, vous n'avez pas grand-chose à perdre. Notez tout par écrit : les phrases prononcées, quand, où et en quelles circonstances. Mettez d'autres personnes au courant. Pas seulement des amis à vous mais au moins un homme suffisamment haut placé et en qui vous puissiez avoir confiance. Prenez rendez-vous avec l'inspecteur du travail et sans citer de nom à ce stade (parlez simplement d'un homme dont la situation hiérarchique est supérieure à la vôtre), exposez votre cas en donnant les dates, les heures, les lieux et les paroles prononcées, en citant les promesses faites ainsi que les menaces brandies. Faites une demande officielle pour que soit versé à votre dossier personnel le rapport que vous aurez rédigé. Faites une autre demande officielle pour être changée de service et suivez bien la procédure. Entre-temps, tenez bon et maintenez autant de distance que vous le pourrez. Vous n'aurez peut-être jamais besoin d'attaquer en justice mais au cas où vous y seriez contrainte, sachez qu'à l'heure actuelle il existe des précédents en votre faveur. Il vous faudra un dossier convaincant, aussi conservez soigneusement les doubles de toutes les pièces versées au dossier ainsi que la liste des noms et coordonnées des gens susceptibles de témoigner sur l'affaire avec, encore une fois, des indications précises sur la date, l'heure et les paroles prononcées. Et puis surtout, cessez d'avoir peur, de croire que vous ne pouvez rien faire, que vous n'êtes pas en mesure d'affronter une situation de ce genre et que la seule alternative est de céder ou partir. La plupart des entreprises sont dirigées par des gens corrects et honnêtes, quant aux autres, elles ne valent pas la peine qu'on y travaille. Si vous n'avez envie ni de céder ni de partir, alors veillez ponctuellement à faire ce qu'il faut pour ne point y être contrainte.

Quant aux mises à l'épreuve d'ordre intellectuel, elles sont encore plus complexes dans la mesure où s'y mêlent toujours des questions sexuelles ou de répartition des rôles. Si vous tenez à conserver une vue claire de ce que vous faites, ignorez systématiquement ces autres aspects. Ce qui signifie que vous fassiez délibérément abstraction de la rivalité sexuelle ou du défi qui se cachent fréquemment sous les notions de connaissances, d'expérience et de savoir-faire. Concentrez-vous sur la tâche à accomplir. Ignorez tout ce qui, dans une déclaration donnée, a pour but inavoué de prouver que son auteur, un homme, est plus intelligent, plus profond que vous, qu'il a une expérience beaucoup plus large et un pouvoir beaucoup plus grand que les vôtres. Ne vous laissez pas piéger en voulant rivaliser avec lui ou lui prouver qu'il a tort. Concentrez toute votre attention sur ce qui, dans ses interventions, est susceptible de contribuer peu ou prou à faire avancer le travail et ne répondez que sur ce terrain précis et limité.

De toutes ces observations, il ressort, souhaitons-le, un message positif : à savoir que la compétence et la conscience professionnelles sont à la base des bonnes relations de travail avec les hommes, — collègues, patrons, ou subordonnés. Tel était le message perçu déjà à travers les vingt-cinq femmes dont nous avons entendu l'histoire et qui ont réussi une belle carrière. La chose est d'importance car les processus de l'organisation sociale avec tout ce qu'ils impliquent pour les filles, les garçons, les hommes et les femmes, n'ont guère changé en dépit de l'apparente libéralisation des mœurs. Le fait d'avoir des relations sexuelles avec quelqu'un appartenant à son milieu de travail relève d'un choix éminemment personnel et notre propos n'est pas de discuter la situation de celles qui font un tel choix. Ce que nous disons, c'est que si vous ne voulez pas avoir de relations de ce genre, il existe des façons de s'en sortir nettement moins coûteuses que d'autres. Et même si vous souhaitez avoir ces relations, commencez par sortir victorieuse de l'épreuve, faites savoir clairement qui vous êtes au niveau de votre compétence, commencez par devenir une personne aux aptitudes et talents reconnus et démontrables avant de vous engager dans une liaison. Faute de quoi, vous ne pourrez peut-être jamais dépasser le statut de « femme ».

Il vous faudra alors trois fois plus de temps pour prouver, avec tous les sous-entendus de rigueur — car ces « liaisons maison » ont pour caractéristique commune d'être connues de tous à une vitesse record —, qu'en dépit du fait que vous êtes une « femme », vous ne manquez ni de cervelle, ni de talents, ni de compétence.

Jusqu'ici, nous avons étudié en détail un certain nombre de choses qu'une femme peut faire d'abord pour savoir avec certitude si elle souhaite vraiment faire une carrière dans le management, ensuite pour prévoir les implications d'une telle carrière et s'organiser en conséquence, enfin pour surmonter les difficultés qui surgiront du fait de son identité sexuelle. Il nous faut maintenant nous pencher sur le problème sans doute le plus galvaudé : à savoir l'art de maîtriser ses émotions et ses sentiments. Que la question soit devenue presque caricaturale à force d'être montée en épingle n'enlève rien à son importance car il y a du vrai dans ce stéréotype.

Les femmes grandissent dans un environnement qui les autorise, voire les incite à manifester librement et ouvertement leurs émotions. Pour une fille, il est parfaitement acceptable de pleurer. Les hommes sont élevés dans l'idée que pleurer est contraire à la virilité et que seules les poules mouillées laissent paraître des émotions autres qu'agressives, c'est-à-dire « masculines ». La plupart d'entre eux apprennent dès l'enfance à se construire des défenses contre l'expression de sentiments et émotions qu'on les a conditionnés à considérer comme « féminins », et il y aurait de beaux chapitres à écrire sur les relations entre cette inhibition culturelle et le développement inquiétant de la violence dans notre société.

Nous ne traiterons pas ici un tel sujet. Notre propos, sans qu'intervienne aucun jugement de valeur, est de prendre en considération l'impact sur chaque femme prise individuellement de la vision stéréotypée que beaucoup d'hommes ont sur les femmes qui travaillent, à savoir que lorsqu'elles sont « sous tension », critiquées, attaquées, elles, les femmes, sont tellement bouleversées qu'elles perdent le contrôle d'elles-mêmes et s'écroulent en pleurant.

Un tel stéréotype n'est pas dénué de fondement. Les femmes ont tendance à exprimer beaucoup plus directement ce qu'elles ressentent et ce faisant, elles placent souvent les hommes dans une situation extrêmement inconfortable. Pour beaucoup d'entre eux, le fait de pleurer en public, surtout si ce public est masculin, est la marque de quelqu'un manquant de maîtrise et à qui l'on ne peut faire confiance pour prendre des décisions. En 1972, le sénateur Muskie s'est mis à pleurer pendant les élections primaires du New Hampshire, ce qui lui valut de perdre le soutien de son parti. Autant pour lui, pourrions-nous dire en tant que femmes ; l'important n'est pas d'avoir gagné ou perdu mais d'avoir joué le jeu honnêtement et en tout honneur. Mais la véritable question est de savoir quels sont vos objectifs. Les considérations rétrospectives peuvent être intéressantes, elles arrivent trop tard. Le problème est simple : si vous souhaitez faire carrière, comment y parvenir dans un système fonctionnant essentiellement avec des hommes ? Comment faut-il être perçue? Compte tenu de la culture masculine et de ses codes propres, que devez-vous faire pour ne pas apparaître comme étrangère au système ?

Il existe des techniques précises pour maîtriser ses émotions et les femmes devraient bien s'y initier. Vous n'aurez peut-être jamais l'occasion ou le besoin de les utiliser mais il est utile de les connaître. Commencez par vous asseoir un moment pour vous remémorer les dernières années passées. Quel genre de situations ont eu un fort impact psychologique ou affectif sur vous ? Notez-le par écrit. Décrivez ce qui est arrivé, l'endroit où vous vous trouviez, le contexte, les protagonistes, les paroles prononcées et ce qui très précisément vous a mis hors de vous ou bouleversée au point que vous éclatiez en sanglots. Après avoir méthodiquement consigné par écrit de tels incidents, tâchez de découvrir certaines constantes, du point de vue du temps, des personnes impliquées... S'agissait-il de circonstances où vous étiez vivement critiquée, provoquée, où vous aviez le sentiment d'être mise à l'écart ? Mieux vous analyserez vos expériences passées, mieux vous pourrez évaluer les risques d'incidents dans le futur, ce qui constitue un premier pas vers la victoire.

Si, grâce à cette technique, vous commencez à prévoir, par exemple, dans quel type de situations ou soumise à quel genre de pressions vous êtes susceptible de pleurer, vous pourrez identifier des signes avant-coureurs et agir préventivement. Vous pouvez dans cet ordre d'idées vous rappeler subitement que vous attendez incessamment un important coup de téléphone dans votre bureau et que votre secrétaire n'y est pas. Mais vous pouvez aussi tout simplement vous excuser pour quelques instants et, une fois seule, soit reprendre vos esprits, boire un verre d'eau fraîche (efficace), soit au contraire vous soulager en pleurant un bon coup. Une remarque encore, pas compliquée : si vous avez envie de pleurer, vous en avez parfaitement le droit. Que cela vous aide à vous délivrer de l'obsession du « il ne faut pas, je ne dois pas » qui ne sert bien souvent qu'à déclencher plus sûrement la crise de larmes. Vous avez le droit de pleurer. Il suffit seulement de vous montrer plus sélective quant aux lieux où exercer ce droit.

Nous en arrivons ainsi à une série de remarques fort simples qui correspondent souvent à ce que disent les femmes pour exprimer leurs sentiments et opinions. Combien s'appliqueraient à vous ? En y réfléchissant bien et à la lumière de tout ce que nous avons pu dire jusqu'ici, quelles en sont le cas échéant les implications du point de vue de la carrière ? Serait-il vraiment difficile de changer ce qui motive de telles remarques ?

Les femmes se décrivent comme attendant d'être choisies, découvertes, invitées, persuadées, sollicitées pour accepter une promotion. Ne pouvez-vous cesser d'attendre et vous mettre à agir ? Laissez savoir autour de vous ce que vous voulez et le prix que vous êtes prête à payer pour y parvenir. Donnez aux autres l'occasion de vous y voir travailler.

Les femmes se décrivent comme hésitantes, attendant qu'on leur dise ce qu'elles doivent faire. Serait-il difficile de sortir de votre passivité et prendre des initiatives, de vous mettre à poser des questions sur les promotions et les postes à pourvoir, de vous soucier d'apprendre de nouvelles techniques, de réclamer du travail supplémentaire éventuellement, et de vous charger de nouveaux projets ?

Les femmes parlent souvent des contradictions et de la confusion qu'elles ressentent au niveau de leurs propres aspirations. Pour dépasser ce genre de conflit latent, il faut l'affronter ouvertement, l'analyser en pleine lumière, en évaluer clairement les termes. Il y a des chances que vous puissiez le résoudre. Mais peut-être réussirez-vous à n'éliminer qu'un seul des éléments conflictuels. Vous pouvez également être amenée à reconnaître la réalité d'un tel conflit et admettre qu'il vous faudra vivre avec lui. Dans ce cas, vous devez être prête à décider que cela est possible et que vous vous en accommoderez votre vie durant. Un conflit dont on ne comprend pas les termes et sur lequel on n'agit pas constitue un drain perpétuel appliqué à votre capital affectif. Vous le savez, vous en ressentez les effets physiques sans en comprendre les causes et bien souvent, vous croyez que le meilleur moyen d'y remédier est de soigner les symptômes physiques.

Les femmes prétendent que la perspective de devoir traiter avec des inconnus les angoisse terriblement. L'angoisse survient effectivement lorsque vous ne savez pas ce que, selon vous, vous devriez savoir. Attendre qu'on vous instruise n'est pas une solution. Si vous êtes angoissée, essayez de clarifier la situation. S'il y a des choses que vous ne savez pas et dont la connaissance vous est nécessaire, cherchez vous-même la réponse et cessez d'attendre que quelqu'un vienne vous la donner. D'ailleurs, le seul fait de chercher à trouver vous-même la réponse vous soustrait déjà un peu à l'angoisse créée par l'attente. De plus, la marge est souvent étroite entre cette angoisse et le ressentiment : « on » ne vous a rien dit, « on » ne vous a pas prévenue, informée, avertie. Est-ce qu' « on » avait de bonnes raisons de le faire ?

Les femmes disent avoir du mal à supporter la critique. Commencez à vous interroger sur le pourquoi d'une telle susceptibilité. A votre avis, qu'avez-vous omis de faire ? Pourquoi les critiques vous touchent-elles si profondément ? Les recevez-vous comme une mise en cause de votre personne au lieu de les prendre comme un commentaire objectif et éventuellement pertinent sur un travail précis que vous avez accompli ? Avez-vous omis de contrebalancer ces critiques en vous créditant de vos réussites effectives ? En ce domaine, les défenses masculines fonctionnent nettement plus à l'avantage des hommes. Leur vulnérabilité est beaucoup moins liée à un sentiment d'échec personnel qu'au pouvoir et à l'influence de celui qui émet les critiques. Ce qui leur laisse une plus grande liberté pour apporter les corrections nécessaires. D'autre part, leurs propres jugements et critiques ont tendance à être moins personnels, aussi reçoivent-ils ceux des autres de façon moins personnelle. Une femme nous a raconté qu'elle s'était un jour rendu compte du fait suivant : lorsqu'un homme émet une idée stupide, les autres se contentent de considérer qu'il vient de faire une proposition stupide. Or, elle-même devait s'aviser subitement qu'elle avait toujours pensé et parfois dit : « Quel imbécile ! » Si vous réagissez de même, changez. Moins personnelles et plus objectives seront vos propres critiques à l'égard d'autrui, moins personnelle et plus objective également sera votre interprétation des critiques que les autres formuleront à votre endroit.

Les femmes se disent réticentes à prendre des risques. Si vous avez peur du risque, demandez-vous pourquoi. Voyez-vous le risque uniquement de façon négative ? Pensez-vous que le risque constitue un pari absolu plutôt qu'un acte raisonnable et envisageable ? Envisagez-vous le risque comme un facteur favorisant la perte de votre mise ou au contraire comme un moyen de la récupérer avec bonification ? Vous êtes-il jamais venu à l'idée que vous puissiez avoir un certain contrôle sur le risque que vous prenez ?

Réfléchissez à un risque que vous pourriez prendre au niveau de votre carrière. Prenez une feuille de papier et tracez deux colonnes. D'un côté, vous inscrivez les éléments positifs qui pourraient en résulter, de l'autre ce qui pourrait se solder négativement. Les deux listes s'équilibrent-elles ? Evaluez les chances de chacune des éventualités que vous venez de répertorier. Possible, probable, vraisemblable, certain ? Pourquoi ? Que pourriez-vous faire pour augmenter le degré de certitude ou contraire le diminuer selon ce qui vous arrange ? Comment, en d'autres termes, pouvez-vous commencer à surmonter de façon réaliste vos présomptions contre le risque ?

Les femmes disent souvent que pour elles, la seule façon de surmonter le sentiment de culpabilité qu'elles nourrissent du fait de leur carrière consiste à s'efforcer d'être dans le même temps une femme-épouse-mère irréprochable. Quel acharnement avez-vous mis à maintenir une frontière étanche entre votre vie professionnelle et votre vie privée ? Pas mal, ce qui semble logique, n'est-ce pas ? Il y a conflit entre la capacité d'une femme à se construire une belle carrière et celle de réussir comme épouse, maîtresse et/ou mère. Ce conflit est bien réel. L'ennui est que beaucoup de femmes s'imaginent que la solution logique à ce dilemme est de prouver à tout le monde y compris à elles-mêmes qu'elles sont parfaites dans les deux rôles. Ainsi, personne ne pourra les critiquer. Songez au prix de revient d'une telle stratégie. Reprenez un stylo et du papier. Dressez la liste sous des rubriques distinctes de tout ce que vous faites, au bureau et chez vous. Marquez les heures, les tâches précises, les responsabilités, les soucis que vous essayez d'endosser et puis voyez s'il est humainement possible de continuer à maintenir la séparation que vous avez eu tant de mal à établir. Au lieu de dire que vous êtes quelqu'un qui a un métier, qui est mère de famille, épouse ou amie, vous découvrirez peut-être que vous êtes en train d'expliquer que vous êtes plusieurs personnes distinctes, celle qui s'occupe de sa carrière et quelqu'un d'autre ailleurs. Chaque personnage est défini par un rôle différent avec toute une série d'implications distinctes du point de vue du temps, des attributions et de l'engagement affectif. Si tel est votre cas, comment résolvez-vous les conflits qui surgissent à chacun de ces niveaux entre des rôles que vous vous êtes donné tant de mal à séparer radicalement l'un de l'autre ?

Vous pouvez être amenée à renoncer à votre stratégie du cloisonnement car elle est à la fois dévoreuse de temps et génératrice de conflits. Comme le font les hommes, vous devrez peut-être négocier entre vos différents rôles, volant un peu de temps et d'énergie à l'un pour les lui rendre un jour prochain aux dépens de l'autre. Mais vous devrez le faire consciemment et délibérément.

Pour commencer, il vous faudra discuter de vos responsabilités professionnelles avec votre mari ou quiconque est partie prenante dans votre vie privée. Vous aurez à exposer ce que vous faites, ce qu'il en coûte et les gratifications que vous en tirez, puis les projets que vous avez et ce dont vous rêvez. Vous devrez faire un véritable effort pour amener les personnes qui partagent votre vie à comprendre les engagements auxquels vous êtes tenue, l'importance qu'ils revêtent et le temps qu'ils vont exiger par-delà et en supplément des responsabilités que vous assuriez à la maison. Si vous n'avez pas encore entamé ce genre de dialogue, il est urgent de le faire. Dans le cas où vous seriez deux à poursuivre une carrière très prenante, une discussion franche et réaliste sur les obligations de chacun ne peut déboucher que sur la conclusion qu'il faudra partager les tâches domestiques, faute de quoi vous devriez reconsidérer entièrement vos options fondamentales.

Parvenir à une solution satisfaisante quant à cette répartition des tâches pourrait bien prendre plus de temps que vous ne l'escomptiez et, surtout si vous avez des enfants, vous auriez intérêt à engager le débat immédiatement. Supposez qu'un jour vous ayez un enfant malade et que votre présence au bureau ou à une réunion de travail soit impérative. Votre mari, lui, pourrait éventuellement rester à la maison. Mais si vous ne l'avez jamais tenu au courant de l'importance de vos responsabilités professionnelles, comment vous attendre logiquement à ce qu'il comprenne subitement pourquoi, ce matinlà, tout devrait changer radicalement ?

Les études faites sur les femmes qui s'inscrivent à des cours de recyclage montrent que celles qui échouent sont celles qui n'ont jamais discuté de leurs projets avec leur mari. Les maris en question avaient bien du mal à comprendre pourquoi leur femme s'en retournait à l'école, tandis que de leur côté, les épouses concernées faisaient de leur mieux pour continuer de s'acquitter des mêmes travaux domestiques qu'auparavant. A l'opposé, celles qui réussissent, alors que parfois leurs succès semblait bien aléatoire, sont des femmes qui avaient longuement discuté du problème avec leur mari, et elles racontent que celui-ci les a beaucoup aidées en prenant en charge une partie des tâches domestiques afin de compenser le temps que leur femme devait désormais consacrer à étudier.

Le message est clair : discutez de votre carrière avec les personnes qui comptent dans votre vie privée. Reconnaissez que la stratégie du cloisonnement est à terme vouée à l'échec. Vous devrez aussi être claire et nette sur la façon dont vous établissez vos priorités ainsi que sur les obligations dont vous entendez vous dégager. Peutêtre faudra-t-il transiger sur certaines exigences concernant le ménage ; ou bien envisager de vous faire seconder par une tierce personne ; ou demander à vos enfants comme à votre mari de prendre un peu plus de responsabilités en ce domaine. Discutez autant qu'il le faudra, et puis passez à l'acte. Quelles que soient les difficultés que vous rencontrerez, dites-vous que les choses auraient été pires encore si vous vous étiez abstenues de prendre ces mesures.

Une femme célibataire se voit confrontée à ce genre de problèmes sur un mode très différent. Alors que beaucoup d'hommes et de femmes souscrivent encore à ce vieux préjugé selon lequel les femmes non mariées échapperaient aux difficultés suscitées par le partage des tâches, les femmes qui se trouvent dans cette situation savent bien, quant à elles, que cette affirmation n'est vraie que partiellement. Une femme mariée a du moins fait ses preuves sur le plan traditionnel. Tel n'est pas le cas de la célibataire qui n'en est que plus vulnérable face aux conflits qu'elle doit affronter. Si vous n'êtes pas mariée, vous serez plus facilement accusée d'échec sur le plan féminin, l'accusation pouvant être portée par vous-même aussi bien que par une tierce personne. Vous devez aussi vous faire à l'idée que votre carrière sera peut-être la pierre d'achoppement qui fera reculer les partenaires potentiels. La contradiction entre la femme qu'ils voudraient que vous soyez et celle que vous êtes et entendez demeurer ne correspond que trop souvent à une réalité. Le coût du conflit entre féminité et réussite professionnelle est fort élevé. Presque toutes les femmes sont amenées un jour ou l'autre à se demander si leur façon de résoudre le problème ne pourrait pas être considérablement simplifiée par un regard différent sur ce qu'elles font et les buts avoués ou inavoués qu'elles poursuivent.

Après tout, il s'écoulera encore bien des années avant que le monde des affaires créé par les hommes ne devienne un lieu de travail qui convienne à tous et à toutes. Des millions de femmes vont passer la totalité de leur vie active à travailler plongées dans une culture dont les traditions, les règles et les codes implicites sont issus de l'expérience masculine. La mesure dans laquelle nous serons capables, en tant que femmes, de comprendre cette culture et de nous en accommoder déterminera le chemin que nous pourrons y parcourir et le prix qu'il nous faudra payer. Depuis toujours, la tâche a été plus dure pour nous, et il continuera d'en aller ainsi. Mais apprenons au moins une chose : travailler dur, en l'absence d'objectifs précis et de plans réalistes pour y parvenir, ne nous amènera jamais ailleurs qu'au simple fait d'avoir travaillé dur.

Il existe des limites à la quantité d'énergie que chacun d'entre nous peut dépenser et, en tant que marginales par rapport à la culture et aux mœurs de l'entreprise, nous avons souvent dépensé la nôtre inconsidérément. Notre ignorance de ladite entreprise et le bagage limité de connaissances avec lequel nous débarquons dans ce monde nous a laissées parfois paralysées, parfois frustrées et bien souvent furieuses face aux réalités que nous avions à affronter. Notre tendance a été de fonder tous nos espoirs sur la façon dont les choses devraient être, plutôt que sur la façon dont elles sont vraiment ; nous en avons trop facilement conclu que si l'occasion nous était réellement offerte de faire nos preuves, nos efforts se verraient justement couronnés. Les résultats d'une telle stratégie ont amèrement déçu bon nombre d'entre nous et nous avons souvent fait endosser la responsabilité de ce que nous percevions comme un échec à nous-mêmes ou aux hommes avec qui nous travaillions. La foi que nous avions en notre valeur intrinsèque s'en est trouvée singulièrement écornée, tandis que se renforçaient notre ressentiment et notre hostilité à l'égard des autres. Certaines d'entre nous ont alors préféré abandonner le combat. Pourtant, le fait est que nous sommes capables d'apprendre. Tout le problème se résume d'ailleurs à ce seul impératif : *apprendre*. Et il n'est jamais trop tard pour commencer.

Si nous devions partir dans un pays étranger pour un séjour de longue durée, nous nous accorderions toutes à reconnaître l'avantage que représenterait le fait de parler la langue des gens qui vivent là-bas. Nous pourrions aussi tâcher de nous renseigner sur les comportements considérés comme grossiers et sur les impératifs de la politesse. Nous serions toutes disposées à adopter une conduite susceptible de nous gagner des amitiés.

Nous souhaiterions être adoptées et comprises. Nous accepterions de nous informer sur le cours de la monnaie locale par rapport à la nôtre, nous étudierions volontiers des cartes, des guides, voire un ou deux livres d'histoire de façon à comprendre la situation et évaluer nos possibilités là-bas.

Nous chercherions les meilleurs moyens pour nous rendre d'un endroit à un autre, prévoirions des excursions, choisirions les lieux à visiter et les circuits à faire. Au début, nous pourrions avoir recours à l'aide d'un autochtone pour nous servir de guide puis, au fur et à mesure que grandirait notre confiance, nous nous lancerions seules à l'aventure.

Nous nous efforcerions de découvrir les personnes ou les organismes susceptibles de nous aider et n'hésiterions pas à utiliser leurs services si nécessaire. Au début de notre séjour, les gens comprenant notre langue joueraient un rôle important. A nous de les découvrir pour nous aider à traduire les messages incompréhensibles.

La possibilité d'être fréquemment victimes d'un sentiment de frustration ferait partie du programme. A peine serions-nous surprises d'éprouver parfois une sensation de peur ou un vague sentiment de solitude. C'est qu'après tout nous nous trouverions seules dans un pays étranger.

Si une personne amie faisait le voyage avec nous, le fait d'être deux serait d'un grand réconfort. Si cette personne vivait là-bas, encore mieux. Nous nous attendrions certes à rencontrer certaines difficultés, mais ayant fait tout notre possible pour les prévoir, nous n'en serions que mieux armées pour les affronter le moment venu.

Tout cela, nous l'accepterions parce que nous saurions que nous nous lançons dans une aventure périlleuse. Il ne nous viendrait donc pas à l'idée de reprocher à d'autres, voire à nous-mêmes, les problèmes rencontrés. Certes, nous pourrions bien penser en secret que chez nous certaines choses sont mieux faites, mais il y aurait sûrement des aspects de cet autre pays, de sa culture, de ses habitants qui forceraient notre admiration. Nous saurions qu'eux et nous sommes les héritiers de traditions différentes. Que quoi que nous ayons pu lire dans les livres d'histoire et autres guides, certaines subtilités ne pourraient se découvrir que sur place. Nous nous entraînerions à nous montrer attentives à tous les détails qu'il pourrait nous être donné d'observer et nous appliquerions à adopter un comportement qui nous permette d'en apprendre toujours davantage.

Néanmoins, si nous avions vraiment envie ou besoin de quelque chose, nous serions prêtes à nous battre dans leur langage pour être comprises. Nous répéterions inlassablement ce que nous voulons jusqu'à ce que nous l'obtenions. Loin de nous l'idée illusoire que le fait d'être une gentille étrangère pleine de bonne volonté suffira à nous gagner ce dont nous avons besoin.

En entreprenant un tel voyage, nous saurions depuis le début qu'il nous faudrait apprendre bien des choses, que nous aurions à travailler dur avant le départ et plus dur encore une fois arrivées. Tout ce que nous aurions appris avant de partir ne servirait qu'à nous mettre sur les rails une fois sur place. L'essentiel se jouerait ensuite. Et, faute d'avoir des objectifs et un programme précis pour notre séjour, une bonne part de notre temps, de notre énergie et de nos ressources serait consommée en pure perte. Mais, sachant que nous n'aurions jamais la possibilité de faire tout ce que nous souhaiterions, nous établirions des priorités pour être sûres de faire au moins ce à quoi nous tenions le plus. Nous serions bien conscientes qu'il nous faudrait peut-être revoir nos plans en fonction de situations et de circonstances que nous n'avions pas prévues et serions prêtes à cette éventualité.

Quels que soient le malaise et la sensation d'inadéquation qui nous envahiraient peut-être à l'arrivée, nous n'en nourririons aucun sentiment de culpabilité, pas plus que nous ne nous sentirions désarmées, car nous serions parties fortes de ressources multiples et de la certitude que nous pouvions progresser dans notre connaissance de la langue et des gens, ainsi que dans notre aptitude à vivre dans une culture qui nous est totalement étrangère. Et de surcroît, nous pourrions y prendre un réel plaisir.

Il sera peut-être instructif de relire cette histoire de voyage. Nous n'avons pas trouvé de meilleure analogie avec notre situation de femmes qui décidons de nous lancer dans les carrières du management. Les impératifs sont les mêmes quant au regard que nous devons avoir sur nous-mêmes, sur la culture dominante dans le monde des affaires, sur les gens qui s'y trouvent, sur les tâches à accomplir, sur la façon de nous y préparer, de les mener à bien, d'accroître notre compétence et surtout d'y trouver un agrément.

ACHEVÉ D'IMPRIMER
SUR LES PRESSES DES
ETS DIGUET-DENY
IMPRIMEUR-RELIEUR
PARIS - BRETEUIL-SUR-ITON

Dépôt légal : 3e trimestre 1978. — No d'impression : 1904